edition suhrkamp

Redaktion: Günther Busch

Peter Weiss, geboren am 8. November 1916 in Nowawes bei Berlin, lebt heute als Schriftsteller, Maler und Filmregisseur in Stockholm. 1963 wurde er mit dem Charles-Veillon-Preis ausgezeichnet. Prosa: *Der Schatten des Körpers des Kutschers* 1960; *Abschied von den Eltern* 1961; *Fluchtpunkt* 1962; *Das Gespräch der drei Gehenden* 1963. Drama: *Die Verfolgung und Ermordung Jean Paul Marats dargestellt durch die Schauspielgruppe des Hospizes zu Charenton unter Anleitung des Herrn de Sade* 1964. Übersetzungen: *Fräulein Julie* und *Ein Traumspiel* von Strindberg.

Der Mikro-Roman *Der Schatten des Körpers des Kutschers* wurde bei seinem Erscheinen im Jahre 1960 von der Kritik einmütig als ein ebenso originelles wie vollkommenes Kunstgebilde gerühmt. Mit diesem Buch hat die zeitgenössische deutsche Prosaliteratur eine neue Entwicklung genommen.

»Hier arbeitet ein ebenso unbestechlicher wie im besten Sinn selbstbewußter Autor abseits von der Pseudo-Aktualität des literarischen Betriebes an einem überragenden Werk. In einer Zeit der eilfertig gespendeten Elogen kann diesem bedeutendsten Außenseiter unserer Literatur nur das große Wort gerecht werden.« *Deutsche Zeitung*

Peter Weiss
Der Schatten des Körpers
des Kutschers

Suhrkamp Verlag

Geschrieben 1952
Die Bilder sind Peter Weiss' Collagen für die Erstausgabe von 1960
entnommen und wurden von ihm für diesen Band ausgewählt.

edition suhrkamp 53
6. Auflage, 44.–46. Tausend 1975
© Suhrkamp Verlag, Frankfurt am Main 1960. Der Text folgt dem
Tausenddruck *Peter Weiss, Der Schatten des Körpers des Kutschers*,
Frankfurt am Main 1960. Printed in Germany. Alle Rechte vorbehal-
ten, insbesondere das der Übersetzung, des öffentlichen Vortrags, des
Rundfunkvortrags und der Verfilmung, auch einzelner Abschnitte. Satz
in Linotype-Garamond bei der MZ-Verlagsdruckerei GmbH, Mem-
mingen. Druck bei Nomos Verlagsgesellschaft, Baden-Baden. Bindung
bei Hans Klotz, Augsburg. Gesamtausstattung Willy Fleckhaus.

# Der Schatten des Körpers des Kutschers

Durch die halboffene Tür sehe ich den lehmigen, auf-
gestampften Weg und die morschen Bretter um den
Schweinekofen. Der Rüssel des Schweines schnuppert
in der breiten Fuge wenn er nicht schnaufend und
grunzend im Schlamm wühlt. Außerdem sehe ich
noch ein Stück der Hauswand, mit zersprungenem,
teilweise abgebröckeltem gelblichen Putz, ein paar
Pfähle, mit Querstangen für die Wäscheleinen, und
dahinter, bis zum Horizont, feuchte, schwarze Ackererde. Dies sind die Geräusche; das Schmatzen und
Grunzen des Schweinerüssels, das Schwappen und
Klatschen des Schlammes, das borstige Schmieren des
Schweinerückens an den Brettern, das Quietschen und
Knarren der Bretter, das Knirschen der Bretter und
lockeren Pfosten an der Hauswand, die vereinzelten
weichen Pfiffe des Windes an der Ecke der Hauswand
und das Dahinstreifen der Windböen über die Ackerfurchen, das Krächzen einer Krähe das von weither
kommt und sich bisher noch nicht wiederholt hat (sie
schrie Harm), das leise Knistern und Knacken im
Holz des Häuschens in dem ich sitze, das Tröpfeln der
Regenreste von der Dachpappe, dumpf und hart
wenn ein Tropfen auf einen Stein oder auf die Erde
fällt, klirrend wenn ein Tropfen in eine Pfütze
fällt, und das Schaben einer Säge, vom Schuppen her.
Das ruckhafte, zuweilen kurz aussetzende und dann
wieder heftig einsetzende Hin und Her der Säge deu-
tet darauf hin, daß sie von der Hand des Hausknechts
geführt wird. Auch ohne dieses besondere, oft von
mir gehörte und durch Vergewisserung bestätigte
Merkmal wäre es nicht schwer zu erraten, daß der

Hausknecht die Säge handhabe, da außer ihm nur ich, und selten einmal der Hauptmann, doch nur am frühen Morgen und mit unverkennbarer Langsamkeit, sich des Holzes im Schuppen annehmen; es sei denn, daß eben ein neuer Gast eingetroffen wäre und sich mit dem Werkzeug und dem straffen Vorbeugen und Zurückziehen des Rückens und der vorstoßenden und zurückschnellenden Armbewegung von der Steifheit in den Knochen nach der langen Wagenreise hierher erholen will. Doch ich habe den Wagen nicht kommen hören, weder das Scheppern der Räder und Riemen, noch das Poltern der Karosserie, weder das Hornsignal des Kutschers das dieser bei seiner Ankunft auszustoßen pflegt, noch sein Schnalzen mit der Zunge und seinen trommelnden Zungenlaut mit dem er das Pferd zum Halten mahnt, auch das Stampfen des Pferdes habe ich nicht gehört, und auf dem aufgeweichten Feldweg müßte es zu hören gewesen sein. Und wäre der Gast zu Fuß angelangt so ist es unwahrscheinlich, daß er sich gleich in den Schuppen begeben hat, und selbst wenn er, vielleicht aus Neugier, in den Schuppen getreten wäre, so hätte ihn die Müdigkeit nach dem langen Gehen (eine Tageswanderung zu Fuß von der nächsten Stadt aus) und die Dicke und Unförmigkeit der Wurzelstücke und Baumstümpfe von der Arbeit abgehalten. Ich bleibe also dabei, daß es der Hausknecht ist, der im Schuppen die Säge in die schweren Holzblöcke hineindrückt und in ihnen hin und her zieht; ich sehe ihn vor mir in seiner einmal blau gewesenen doch seit langem verblichenen und verkrusteten Bluse und den ebenso verkrusteten, einmal schwarz gewesenen Hosen die er in den Schaft der klobigen, auch einmal schwarz gewesenen doch von Dünger und Lehm verklebten Stiefel gesteckt hat. Ich sehe ihn vor mir, wie er mit der einen erdigen, dickgeäderten, kurzfingrigen Hand das Holzstück auf dem Bock festhält und mit der anderen den Bogen der Säge umspannt, wie er die lange Unterlippe über die kurze Oberlippe schiebt und die Feuchtigkeit weg-schleckt die ihm aus der Nase sickert; ich höre ihn dazu, wie er es bei dieser Tätigkeit, und auch bei anderen Tätigkeiten im Haus und im Freien zu tun pflegt, gurrend aus der Kehle summen; und in den kurzen, unregelmäßigen Aufenthalten zwischen dem Sägen kann ich mir vorstellen, wie er sich aufrichtet und weit zurückbeugt und die Arme zu den Seiten ausstreckt und knackend die Finger spreizt, oder wie er sich mit dem Zeigefinger und dem Daumen die Nase schneuzt und sie dann mit dem Handrücken ab-wischt, oder wie er sich die speckige Schirmmütze mit den aufgeschlagenen Ohrenklappen von der Stirn aus weit auf den Schädel schiebt und sich das dünne, strähnig verklebte Haar, in das der Schweißriemen der Mütze einen tiefen Rand gedrückt hat, krault. Erst jetzt (eben schreit die Krähe noch einmal Harm) empfinde ich die Kälte an meinem entblößten Gesäß. Die Niederschrift meiner Beobachtungen hat mich da-von abgehalten, die Hose hinaufzuziehen und zuzu-knöpfen; oder das plötzliche Einsetzen meines Beob-achtens ließ mich vergessen, die Hose hinaufzuziehen; oder auch war es die herabgezogene Hose, das Frö-steln, die Selbstvergessenheit die mich hier auf dem

Abtritt überkam, die diese besondere Stimmung des Beobachtens in die Wege leitete. Ich ziehe jetzt die Hose hinauf, knöpfe sie zu und schließe den Gürtel, ich nehme den hölzernen Deckel, doch ehe ich ihn auf die Sitzöffnung lege blicke ich hinab in den Eimer der bis über den Rand mit der bräunlichen Masse des Kotes und mit braunfleckigen Papieren gefüllt ist; auch herab über den Rand des Eimers ist, soweit ich dies in der Dunkelheit des Kastens erkennen kann, der Darmabfall gequollen, das dicke Rinnsal verliert sich in einem lavaartigen Wall, in dem der Eimer halb vergraben steht; aus der Schwärze schimmern die Helligkeiten der Papierfetzen. Nachdem ich den Deckel aufgelegt habe setze ich mich wieder auf den Kasten, den Schreibblock auf den Knieen. Die Innenwand des Abtritts ist mit körniger Teerpappe bespannt, jedoch hat die Feuchtigkeit große Beulen in die Pappe getrieben und an einigen Stellen hängt sie mit aufgerissenen Fladen herab; die dünnen, schimmlig grauen Latten liegen entblößt darunter. Einige rostige Nägel ragen aus der Wand, ursprünglich vielleicht zum Aufhängen von Kleidungsstücken oder irgendwelchen Geräten gedacht, jetzt aber leer und verbogen; nicht einmal eine Schnur, ein Draht oder ein Papierbündel hängt daran. Das Papier reißt sich jeder zu seinem Bedarf aus den zerfledderten Zeitungen von denen ein Stoß in der Ecke des Sitzes liegt. Diese Zeitungen werden dann und wann, wenn man ihn lange darum gemahnt hat, vom Hausknecht aus dem Keller, wo sie verknüllt und verstaubt neben den Kohlen zuhaufen liegen, einmal verwendet als Packpapier um gelieferte Waren, oder von Reisenden zurückgelassen und wieder und wieder gelesen, fettig abgenutzt, oft in der Küche noch weiter benutzt, mit schwarzen Pfannenrändern, mit Abdrücken von Tellern und Bechern versehen, beklebt mit Kartoffelschalen und Fischgräten, herbeigetragen. Und hier im Abtritt geraten die Reste der Zeitungen mit ihren meist viele Jahre alten Nachrichten noch einmal an einen Lesenden; vorgebeugt sitzend, die Füße auf dem Absatz vor dem Kasten gestützt, vertieft man sich in kleine, durcheinandergewürfelte Bruchstücke der Zeit, in Ereignisse ohne Anfang und ohne Ende, oft auch in der Längsrichtung oder in der Quere geteilt; man folgt der Rede des einen und setzt dann mit der Rede eines anderen fort, man liest die Beschreibung des Schauplatzes einer Handlung und gleitet dann zum Schauplatz einer anderen Handlung über, man vernimmt etwas das auf dem nächsten Stückchen widerrufen wird und sich auf dem darauf folgenden doch wieder als vorhanden erweist; und gleichartige Ereignisse findet man immer wieder mit neuen Einzelheiten ausgestattet, oder auch stößt man auf das gleiche, nur hier mit gewissen Altertümlichkeiten und dort mit irgend einer Neuerung versehen. Ich schiebe den linken Fuß vor, auf das rechte Bein stütze ich den Arm mit der schreibenden Hand, und stoße die Tür etwas weiter auf. Ich sehe jetzt die gesamte Rückwand des Hauses, hoch und kahl über dem Schweinekofen aufragend, mit spitzem Giebel und weit über die Seitenwände vorstoßendem Dach, und die eine Seitenwand, perspektivisch verkürzt, mit den Steinstufen zum Kücheneingang, der Treppe zum Keller und den schmalen Vertiefungen der Fenster, von denen eines, das Fenster zum Zimmer der Familie, offen steht; ein paar Tücher, wahrscheinlich Windeln, liegen ausgebreitet auf dem Sims. Die Erde um das Haus ist, wie auf dem Weg und auf dem Acker, lehmig und von Pfützen durchsetzt; hier und da liegen Steine, größere und kleinere, manche als lockeres Geröll, manche mit einer weißlichen Rundung oder Kante aus dem Boden ragend, manche zu kleinen Pyramiden gehäuft, manche reihenweise aneinandergelegt, nach Form und Umfang geordnet; neben einem der Haufen steckt ein Brecheisen und eine Schaufel in der Erde. Am blanken Griff dieser Werkzeuge kann ich mir die Hände des Herrn Schnee denken, ungewöhnlich große, knöcherne Hände mit schildförmig vorgewölbten Fingernägeln, unter deren langen Kanten sich bei der Arbeit leicht der Schmutz sammelt, der nach der Arbeit jedoch mit einem silbernen Nagelreiniger, den Herr Schnee in der Tasche seiner Weste verwahrt, sogleich wieder sorgfältig entfernt wird. Auch die Steine sind durch Schnees Hände gegangen, sie sind von seinen Fingern abgetastet, gedreht und gewendet worden; es ist anzunehmen, daß er jetzt hinter dem Fenster seines Zimmers steht und auf den Hof hinabblickt, in Erwartung, daß die Sonne die aufgeschichteten Steine trocknen möge. Große Mengen von Steinen hat er schon im Laufe der Zeit aus der Erde gegraben und untersucht, zahlreiche Steine die er als unanwendbar betrachtete, hat er mit einem Schubkarren zu einem Haufen hinter dem Holzschuppen gefahren, andere Steine, denen er sein Studium widmet, hat er in sein Zimmer hinaufgetragen wo er sie in Regalen, die ringsum die Wände ausfüllen, verwahrt.

Ich befinde mich jetzt in meiner Kammer, da der Abtritt von einem anderen Gast, den wir, weil er sich aus alten Stoffetzen seine Kleider selbst näht, den Schneider nennen, benötigt wurde. Der Schneider erschien auf der Küchentreppe und kam auf den Abtritt zu, in Pantoffeln, auf den Zehenspitzen vorsichtig um die Pfützen stelzend, den Kopf tief herabgesenkt, die Pfeife im Mund. Ich räusperte mich und er fuhr auf. Wie immer wenn er unvermutet einem der übrigen Gäste begegnet, geriet er in einen Zustand völliger Fassungslosigkeit; die Pfeife fiel ihm aus dem Mund und indem er sich bückte und nach ihr tappte, fielen ihm auch die Brillengläser, von dünnem Draht zusammengehalten, von der Nase. Seine Hände wühlten in dem gelblichen Lehmwasser; ich kam ihm zur Hilfe, reichte ihm die Brille und die Pfeife und eine Weile versuchte er, sich die Brille als Pfeife in den Mund zu stecken und sich die Pfeife als Brille auf die Augen zu setzen, bis endlich die Gegenstände ihren zubehörigen Platz gefunden hatten; Tropfen des aufgeweichten Lehms rannen ihm über das Gesicht. Er wollte sich umwenden und zurücklaufen doch er kam nicht vom Fleck, seine Hände schlugen abwechselnd auf und ab und wanden sich ineinander; so stand er noch als ich ihn allein gelassen hatte und mich auf dem Weg in der Richtung zur Küchentreppe entfernte.

Hinaufblickend zum Haus sah ich, wie ich vermutet hatte, Herrn Schnee hinter seinem Fenster stehen; das große bleiche Gesicht dicht an der Scheibe, fischhaft mit der plattgedrückten Nase, den breiten, aufgeworfenen, am Glase schleckenden Lippen und den vortretenden, farblosen Augen. Vorübergehend an dem offenen Fenster zur ebenen Erde erhielt ich einen kurzen Einblick in das Zimmer der Familie, ich nahm den Vater, die Mutter, den Säugling und den Sohn wahr, in folgender Verteilung und gegenseitiger Beziehung: die Mutter sitzend auf dem Rand des Bettes in der Tiefe des Zimmers, halb ins Dunkel gehüllt, mit entblößter Brust und an der Brust den Säugling; der Vater am Tisch in der Mitte des Raumes stehend, die Hände zu Fäusten geballt, vor sich auf die Tischplatte gestützt, das Licht des Fensters voll auf ihn fallend und das vorgestreckte Gesicht mit dem weit aufgerissenen Mund beleuchtend; und ihm gegenüber, nicht sitzend, sondern in der Kniebeuge hockend, der Sohn, das Kinn auf die Tischkante gepreßt, die Schultern bis zu den Ohren hinaufgezogen, in den Mund des Vaters hineinstarrend. Dann erreichte ich die Treppe und dies ist der Weg den ich bis zu meiner Kammer zurücklegte; ich öffnete die Küchentür und schloß sie hinter mir, ich ging über den abgetretenen, grauen Linoleumboden der Küche, der vom Scheuerwasser feucht war und auf dem die Haushälterin auf den Knieen und den Ellbogen lag, den Scheuerlappen in der Hand, stumm während meines Vorübergehens zu mir hinaufblickend, wobei sich das dünne, an den Lenden und Armen durchnäßte Kleid prall über die schweren Buchtungen ihres Körpers spannte. Mein nächstes Ziel war die Schwelle der Türöffnung zur Diele und dieser näherte ich mich nun während die Gegenstände in der Küche an mir vorüberglitten, rechts der Herd mit dem darübergemauerten weißgetünchten Rauchfang, ein Topf voller Kartoffeln, ein zweiter Topf voller Rüben auf dem Feuer brodelnd, neben dem Herd das Abwaschbecken an der Wand, mit Tellern und Bechern angefüllt, und der Tisch, unterhalb des Fensters, mit Mehl bestäubt, mit ausgewalztem Teig auf einem Brett und ein paar großen gekneteten Teigklumpen, einer Holzrolle, einer Zuckerschale und einem Löffel, und zu den Längsseiten des Tisches je eine dunkel gebeizte schmale Bank, sowie je ein Schemel an den Schmalseiten des Tisches; links der riesenhafte Geschirrschrank, mit geschlossenen Türen und Schubfächern, daneben die Standuhr, aus braunem Holz, unter dem Glas der Pendel vor den in der Form von Tannenzapfen ausgeführten Gewichten langsam hin und hertickend. Nachdem ich zur Schwelle gelangt war hatte ich als nächstes Ziel die schmal und steil aus der Diele aufsteigende Treppe vor mir; ein schwaches Oberlicht dringt über die Treppe herab und dessen bläulicher Schimmer, erweitert durch den fahlen Lichtschein aus der Küche, erhellt notdürftig den Raum. Ich streifte die Kante der Nähmaschine auf deren Spulen und Metallverschlägen matte silberne Reflexe lagen, ging um den runden Tisch, in dessen offenstehender Lade ich die Knöpfe, Ösen, Nadeln und Garne mehr ahnte als sah, vorbei, und stieß mit der Schulter an den darüberhängenden

Lampenschirm aus Seide, er schwankte hin und her, mit leise wehenden Fransen. Dann kam ich an Schnees Sessel vorüber, wobei meine Hand über die hölzerne Armleiste und über die hohe steile Rückenlehne mit den runden Nagelköpfen auf der Lederverkleidung glitt; Rücken an Rücken mit diesem Sessel steht der Sessel des Hauptmanns, auf drei Beinen, und anstelle des vierten stützen ihn einige aufeinandergelegte Ziegelsteine; sowohl der Sitz als auch die Rückenlehne sind aufgeplatzt und lassen das Schnurgeflecht und die Spiralfedern durchscheinen; über der Lehne, die von einem Holzknopf geziert ist (von den übrigen fehlenden Knöpfen zeugen nur noch die Stöpsellöcher), hingen ein paar Riemen und ein Gurt mit einer Säbelscheide. Neben dem leeren Schirmständer und den leeren Garderobehaken war die Vordertür des Hauses im Halbdunkel zu erkennen, doch von ihr wich mein Blick nun ab da ich die Treppe erreicht hatte. Ich legte die Hände vor mir auf die Geländer und stieg Stufe auf Stufe empor, auf dem rötlichen, von Messingstangen festgehaltenen Läufer; meine Hände zogen mich und meine Füße, unter denen die Stufen knarrten, schoben mich immer höher; über mir sah ich die Schwelle zum Flur des ersten Stockwerks. Ich erreichte den Flur mit einem letzten Anziehen der Arme, während sich meine Hände an den obersten Knäufen der Geländer festhielten. Ehe ich dann weiter die Stiege zum Dachgeschoß hinaufklettern konnte hatte ich den Flur der Länge nach mit meinen Schritten zu durchmessen. Zu den Seiten des Flurs liegen dicht nebeneinander die Türen zu den Zimmern des Hausknechts, der Haushälterin, des Hauptmanns, des Doktors, des Herrn Schnee und des Schneiders, braune Türen mit Messingklinke und Schlüsselloch, und hoch oben, im Lichtschacht über der Treppe, ist das bläuliche Glas der Fensterluke zu sehen. Der schmale Läufer zieht sich von der Treppe aus durch den Flur, seine schwarzen Kanten gleichen Schienen, und im Dahinschreiten war mir als rollte ich in einem Wagen bis vor die Dachstiege hin. Hier legte ich dann noch einmal die Hände über mir auf das Geländer und klomm zum vorletzten Ziel, der Kante des Dachbodens, hinauf. Oben angelangt sah ich mein letztes Ziel, die Tür zu meinem Zimmer, vor mir, und auf diese Tür ging ich, unter dem Dachgestühl hinweg, zu, an den hohen viereckigen Holzpfosten die das Dach tragen, an den Kisten, Körben und Koffern, die unter den Dachbalken stehen, an dem Turm des Schornsteins vorbei, bis ich die Hand nach der Türklinke ausstrecken konnte, doch dieser Augenblick liegt jetzt schon lange hinter mir, der Augenblick des Türöffnens, des Eintretens, des Entgegennehmens des Bildes des Zimmers, des Schließens der Tür, des Weges zum Tisch, und hinter mir liegt die Zeit die mit der Beschreibung des Weges hierher vergangen ist. Ausgestreckt liege ich jetzt auf meinem Bett.

Meine Tätigkeit in dieser Kammer besteht, neben den alltäglichen Handhabungen des An- und Auskleidens, des Waschens, des Zubettgehens und Aufstehens, und den Versuchen des Schreibens, wobei ich bisher noch nie über mehr als immer wieder neue, kurze, abgebrochene Anfänge hinausgekommen bin, aus einem

Erdenken von Bildern. Zu dieser Tätigkeit liege ich ausgestreckt auf meinem Bett; in Reichweite neben mir auf dem Tisch habe ich einen Teller mit Salz stehen von dem ich mir zuweilen ein paar Körner in die Augen streue. Die Aufgabe der Salzkörner ist es, meine Tränendrüsen zu reizen, und damit meinen Blick verschwommen zu machen; die entstehenden Tränenfäden, Lichtpünktchen und anschwellenden und zerfließenden Lichtkeile legen sich über das deutlich in meine Netzhaut eingeätzte Abbild des Raumes; und selbst wenn dieser Raum nichts anderes enthält als einen Tisch, einen Stuhl, einen Waschtisch und ein Bett, und wenn auch an der einen schrägen Wand nichts anderes vorhanden ist als die Fensterluke über dem Tisch, und an der gegenüberliegenden senkrechten Wand nur eine Tür, und an den beiden anderen, durch das Dach abgewinkelten Wänden nichts, so stößt sich mein Blick doch noch an diesen Begrenzungen und festen Formen; mit den Tränen löse ich sie auf. Während ich mit weitgeöffneten Augen vor mich hinblicke, entstehen allmählich aus den ungewissen, hin und herflackernden Schatten, Strahlen, Prismen, Farbflecken und Linien die ersten Andeutungen von Gestaltungen, anfangs unterbrochen von jähen Anflügen völliger Schwärze. Die Resultate dieser Versuche, mit denen ich mich jetzt, kaum länger als zehn Minuten, höchstens eine Viertelstunde, abgab, sind folgende: zuerst unterschied ich eine Rundung, ähnlich einem Ballon oder einer gläsernen Kugel, von unbestimmbarer, zuweilen ins Grüne, zuweilen ins Gelbe oder Blaue wechselnder Farbe, die sich zu immer größerer Leuchtkraft steigerte. Diese Kugel konnte eine Lampe sein, oder nur ein großer Schmuck der von oben herab in einen Raum hing; rings um die Kugel fügten sich jetzt farbige Bänder, aus glänzender Seide oder aus dünnem Metall, und nach oben zu erweiterte sich die Kugel mit neuen Rundungen, Schwellungen, Einschnitten, ähnlich denen die dem Ton auf der Drehscheibe entwachsen, unter den Händen des Töpfers. Das Gebilde strahlte mit seinem regenbogenhaften Glanz vor dem schwarzen Hintergrund, aus dem jetzt neue Einzelheiten hervortraten. Violett und rosa gesprenkelte Flächen deuteten Tiefen an, die Gesamtheit eines Raumes war jedoch nicht zu erkennen; er schien sich ins Unendliche zu verlieren. In den Tiefen, die sich ständig verschoben und manchmal eine dahinfliehende marmorierte Wand oder das Stück eines polierten Bodens freigaben, tauchten einzelne kleinere Kugeln auf, auch diese schimmernd in gläsernem Feuer, und Figuren, wie Türme aus einem Schachspiel, oder wie Tänzer aus einem Ballett; auch sie bestanden aus dem gleichen Material wie die Kugeln, ihr Wesen war jedoch flüchtiger; während die Kugeln sich dehnten und streckten verwandelten sich die Figuren unaufhörlich, glichen Gewächsen, Mineralen, Skulpturen, Kristallen, oder ragten nur als undefinierbare Wesen, nur mit einem Spiel von Farben und Formen wirkend, aus dem Dunkeln auf. Mit angehaltenem Atem folgte ich ihren Bewegungen bis plötzlich, als ich eine Ermattung des Bildes gefühlt und mir ein paar neue Körner des Salzes in die Augen gestreut hatte, ein Wechsel in der Scenerie eintrat. Es war als lehnte ich mich an die Brüstung eines Altans, hoch über einer nächtlichen Stadt; die unbestimmbare Weite des vorigen Bildes wich jetzt der deutlichen Riesenhaftigkeit einer Himmelskuppel. Tief unter mir lag eine Straße und ringsum breiteten sich die Dächer aus, doch die Straße war nur wie eine schwarze Schlucht, oder nur wie eine schmale Spalte, und dicht unter mir, auf der Dachterrasse des gegenüberliegenden Hauses, schimmerte, wie vom Mond beschienen, doch es war kein Mond zu sehen, auch keine Sterne, ein Gesicht, mit mageren Wangenknochen, breitem dunklen Mund, dunkel beschatteten Augen, und unter dem Gesicht ein schmaler Hals, dahinter das geöffnete Haar, und unter dem Halsansatz das scharf gezeichnete Schlüsselbein, daran die nackten, geraden Schultern, und unter den Schultern die, von scharfen Schattenlinien begrenzten nackten Brüste mit den schwarzen Mittelpunkten der Brustwarzen, und unter den Brüsten die durch leichte Schatten angedeuteten Rippen und die glatte, nackte Wölbung des Bauches mit dem dunklen Mittelpunkt des Nabels, und unterhalb des Bauches die dreieckige Dunkelheit des Schoßes und die schmalen, kantigen Hüften, und unterhalb der Hüften, bis zur begrenzenden Linie der Mauerbrüstung, die langgestreckten Wölbungen der Oberschenkel; ich beugte mich über die Balustrade, dem weiblichen Körper entgegen; seine Nähe war so stark spürbar, daß ich die Vorspiegelung mit einer Wirklichkeit verwechselte und eine heftige Bewegung mit meinen Armen vollführte, womit ich unmittelbar das Bild zerriß.

Die Abendmahlzeit nehmen wir, wie alle anderen Mahlzeiten, am Tisch in der Küche ein. Trotz der Reichhaltigkeit des Geschirrs im Wandschrank wird mit einem Mindestmaß an Tellern, Trinkgefäßen, Schüsseln und Bestecken gedeckt, so daß ein etwaiges Vorgericht und ein etwaiges Nachgericht auf dem selben Teller wie das Hauptgericht, einem tiefen Teller aus weißem Porzellan, verzehrt wird. Als Eßwerkzeug wird nur ein Zinnlöffel verwendet, zu allen Gängen, sowie zum Umrühren im Becher, aus dem man sein Wasser, sein Bier, seinen Wein oder Kaffee trinkt. Auf die Reinlichkeit der Tischplatte wird, im Gegensatz zum Fußboden, der mehrmals täglich von der Haushälterin gescheuert wird, kein Wert gelegt; so ist die Platte noch voll von Mehl und Teigklumpen, und von getrockneten Brotkrumen und Fleischfädchen vorhergegangener Mahlzeiten. Dies ist die Ordnung in der die Gäste um den Tisch sitzen; auf dem Schemel zur oberen Schmalseite des Tisches, nächst dem Herd, sitzt die Haushälterin; zu ihrer Linken auf der Bank vor der Fensterwand sitzt der Hauptmann, in einem schwarzen, weißgestreiften, altmodisch geschnittenen Gehrock, ebensolchen Hosen, einer grauen Weste, die, trotz sorgfältiger Pflege, einigen Flecken im Laufe der Jahre nicht entgehen konnte, einem weißen Hemd mit hohem Stehkragen und einer schwarzen, mit einer Perlennadel am Hemd befestigten Kravatte; links neben dem Hauptmann sitzt Herr Schnee, abends in seinen seidenen Hausrock gehüllt; links neben Herrn Schnee sitzt der Doktor, den Kopf mit dicken Verbänden umwickelt, ein Pflaster quer über der Nase und ein Pflaster auf der Oberlippe, einen Verband um den Hals, Verbände um die Handgelenke, unförmig dicke Bandagen an den Beinen, sein Mund hart zusammengepreßt über dem Schmerz der seinen ganzen Körper zu erfüllen scheint und der ihm aus dem Mund ausbrechen will, seine Augen unter einer schwarzen Brille verborgen. An der anderen Schmalseite des Tisches sitzt der Hausknecht, die Mütze auf dem Kopf; ihm zur Linken an der anderen Längsseite des Tisches sitzt der Schneider, in seinem fadenscheinigen, zusammengeflickten Anzug, scheckig wie ein Harlekin, und jetzt, da er sich zu dieser Begegnung gesammelt hat, mit Bewegungen die so durchdacht sind, daß sie ständig über sich selbst hinaussteigen, große Bogen, verschnörkelte Arabesken und fuchtelnde Winkel beschreibend. Links neben dem Schneider sitze ich. Zu meiner Linken sitzt niemand; der Platz ist leer und wartet auf einen neuen Gast. (Die Familie die das Zimmer neben der Küche bewohnt nimmt an unseren Mahlzeiten nicht teil, sie führt ihren eigenen Haushalt.) In der Mitte des Tisches stehen die beiden Kochtöpfe, der eine mit Kartoffeln, der andere mit Rüben gefüllt. Die Hände, den Löffel haltend, heben sich jetzt von allen Seiten den Töpfen entgegen, die Hand der Haushälterin rot, gedunsen, walkig vom Spülwasser, die Hand des Hauptmanns mit polierten, gerillten Fingernägeln, die Hand des Doktors mit Verbandsschlingen zwischen jedem Fingeransatz, die Hand des Hausknechts fleckig von Dung und Lehm, die Hand des Schneiders zitternd, dürr, pergamenten, meine eigene Hand, meine eigene Hand, und dann keine Hand, in einem leeren Raum der auf eine Hand wartet. Die Löffel senken sich in die Schüsseln und steigen, beladen mit Kartoffeln und Rüben, wieder daraus empor, laden die Last auf dem Teller ab und schwingen sich zurück in die Töpfe, füllen sich, leeren sich wieder über den Tellern, wandern weiter hin und her bis jeder auf seinem Teller einen Haufen Kartoffeln und Rüben gesammelt hat der seinem Hunger entspricht. Der größte Haufen befindet sich auf dem Teller des Hausknechts, doch der Haufen auf dem Teller des Schneiders ist fast ebenso groß, obgleich der Schneider nicht wie der Hausknecht den größten Teil des Tages im Freien und mit körperlich anstrengenden Arbeiten verbringt, sondern nur in der Stube über seinen Flicken hockt; dann folgt der Haufen auf dem Teller der Haushälterin, kaum, erst nach mehrmaligem genauen Vergleichen, von der Größe des Haufens auf Schnees Teller zu unterscheiden; danach der Haufen des Hauptmanns, der im Verhältnis zum Haufen auf dem Teller des Hausknechts schon klein ist; danach der Haufen auf meinem eigenen Teller, und diesen kann man gering nennen, doch im Verhältnis zum Haufen auf dem Teller des Doktors erscheint er immer noch groß. Die Löffel heben sich jetzt, gefüllt mit Kartoffelbrocken und Rübenstücken, zu den Mündern empor, die Münder öffnen sich, der Mund der Haushälterin wie zu einem saugenden Kuß, indem sie den Atem schnaufend durch die Nase stößt, der Mund des Hauptmanns vorsichtig am künstlichen Gebiß manövrierend,

Schnees Mund mit breit aufgezogenen, weißlich entblößten Lippen, der Mund des Doktors, zu einem
mühsamen Spalt aufklaffend, der Mund des Hausknechts, vorstoßend wie ein Schnabel, die Zunge lang
herausgestreckt und den Löffel erwartend, der Mund
des Schneiders, gewählt aufklappend und sich erwei-
ternd zur Maulstarre, mein eigener Mund, mein eigener Mund; und dann der leere Raum für einen neuen,
noch unbekannten Mund. So kauen wir an unserem
ersten Bissen, die Haushälterin langsam, kreiselnd,
mahlend, der Hauptmann mit dem Gebiß knarrend,
Schnee schmatzend und tief über den Teller gebeugt,
der Doktor würgend, ohne die Zähne zu rühren, mit
der Zunge das Essen am Gaumen zerdrückend, der
Hausknecht schlürfend, wuchtig mit den Armen auf
dem Tisch liegend, der Schneider, auf den Teller des
Hausknechts schielend, mit bebenden wie Stränge vortretenden Kaumuskeln, mit der Zunge an dem vom
Speichel aufgeweichten Brei schleckend, ich, ich, und
dann der von dem ich nicht weiß wie er kauen wird.
So essen wir schweigend; der Hausknecht, der Schneider und die Haushälterin laden sich noch einmal auf,
holen aber die übrigen Esser ein, so daß wir alle ungefähr gleichzeitig fertig sind. Zwischen den Handhabungen des Löffels werden ab und zu die Zinnbecher mit der anderen Hand ergriffen; der Becher
der Haushälterin ist mit Bier gefüllt, der Becher des
Hauptmanns ist mit Wasser gefüllt, Schnees Becher
ist mit dunkelrotem Wein, den er aus einer in der
Tasche seines Hausrocks aufbewahrten Flasche ein-
geschenkt hat, gefüllt, der Becher des Doktors ent-

hält einige Wassertropfen, der Becher des Hausknechts ist mit Bier gefüllt, der Becher des Schneiders ist mit Wasser gefüllt, wie auch mein eigener Becher, und womit würde der Unbekannte sein Glas füllen. Die Becher werden an den Mund geführt und die Flüssigkeit dringt in den Mund ein, füllt den Mund aus und gleitet durch die Kehle hinab, außer beim Doktor, der nur den Mundspalt, dünn wie eine Messerkerbe, an den Wassertropfen netzt. Während der Griff der Hand um den Löffel bei allen fast der gleiche ist und man sich mehr in der Art des Handhebens, bei der Haushälterin behält der Arm und die Hand eine nahezu feste Lage und es ist der Oberkörper der sich hebt und senkt, beim Hauptmann vollzieht sich die Hebelbewegung knackend im Armbogen, Schnees Hand führt den Löffel vom Handgelenk aus zwischen dem Teller und dem tief herabgeneigten Mund hin und her, die Hand des Hausknechts stößt den Löffel wie eine Kohleschaufel in den wie ein Ofenloch vor dem Teller aufgerissenen Mund, der Schneider ruckt und zuckt mit dem gewinkelten Arm wie eine aufgezogene Gliederpuppe, ich, ich merke in meinem Beobachten kaum wie ich esse, voneinander unterscheidet, so ist der Griff um den Becher bei allen mit starken Merkmalen versehen; die Haushälterin ergreift den Becher mit rundgewölbter Hand, sie schiebt ihre Hand unter den Becher und hebt ihn in ihrer Hand wie in einer Schale dem Mund entgegen, der Hauptmann legt seine verbogenen Finger mit den Spitzen um den Becher, hält den Becher wie im Zangengriff einer Vogelklaue, Schnee umtastet den Becher mit

seinen langen, beinweißen Fingern und während er
den Becher anhebt regen sich seine Finger wie in einer
melkenden Bewegung, der Doktor drückt den Becher
zwischen die freie Hand und die Hand die den Löffel
hält und in gemeinsamer Anstrengung klemmen die
Hände den Becher dem Mund entgegen, der Hausknecht legt seine Hand wie einen Erdwall um den
Becher und kippt den Becher in den herankommenden
Mund, der Schneider, der, wenn er nicht trinkt, die
Hand flach ausgestreckt als Deckel auf dem Becher
liegen hat, klappt, zum Trinken, die Hand zur Seite,
schnappt dann den Daumen herab und dann die Finger herum und befördert den Becher wie in einer
Schachtel empor, ich selbst, ich fühle die kühle Zinn-
rundung im Innern der Hand. Folgende Zwischen-
fälle ereigneten sich während der Mahlzeit; zu Be-
ginn, kaum daß wir Platz genommen hatten, war der
Ruf der Krähe von den Feldern her zu vernehmen,
es war ein einziger Ruf, mit dem selben, an Harm
erinnernden Klang wie zuvor. Als unsere Löffel auf
den angefüllten Tellern zu schürfen begannen hörte
man auch durch die Wand das Klappern von Geschirr
auf dem Tisch der Familie; der Säugling plärrte, be-
ruhigte sich aber bald, wahrscheinlich wurde er von
der Mutter an die Brust genommen; ein Geräusch als
schlüge ein Zinnlöffel an einen Zinnbecher wurde
deutlich nebenan, daraufhin war es mehrere Sekunden lang völlig still hinter der Wand, worauf ein
anderes Geräusch erklang, wie von einem auf einen
Körper hart niederfahrenden Riemen, mehrmals wiederholt, bis es wieder still wurde; bald darauf war

dann das gewöhnliche Scheppern des Geschirrs wieder im Gange. Ein Hustenanfall des Schneiders war, neben dem einmaligen erstickten Aufstöhnen des Doktors, das einzige was das Ebenmaß unserer Mahlzeit unterbrach; sonst ist nur noch das Erscheinen und Verschwinden eines schwarzen mittelgroßen Käfers zu vermerken; er fiel aus dem Rauchfang auf die Ofenplatte, hatte das Glück, auf die Beine zu geraten (wäre er auf den Rücken gefallen so hätte ihn die Hitze der Platte verkohlt) und lief eilig zur Ofenkante von wo aus er zum Abwaschbecken hinabblickte. Seine vorgestemmten Beine suchten sich zum Ansatz des Abwaschbeckens hinab, der Körper folgte nach, und so glitt er in die Tiefe; ich richtete mich auf und sah ihn in einem der Löcher des Bodensiebes verschwinden. Welcher Tod, fragte ich mich, ist für einen Käfer der leichteste, oder mindest qualvolle, der Tod des Verbrennens auf einer Ofenplatte oder der Tod des Ertrinkens in einem Ausgußrohr. Den Kaffee nehmen wir in der Diele ein, nachdem die Teller, von den Gästen übereinandergestellt, von der Haushälterin zum Abwaschbecken getragen, und die Becher, von der Haushälterin aus der blauen Kanne gefüllt, von den Gästen durch die Küche getragen worden waren, und die Gäste aus der Zuckerschale, von der Haushälterin aus der Speisekammer herbeigetragen, ein Zuckerstück genommen und es in die Tasse gelegt, und die Gäste, mit einem Löffel, von allen, außer dem Doktor, vorher abgeleckt, in den Bechern rührend, die Schwelle überschritten und in der Diele Platz genommen hatten; die Haushälterin auf dem Stuhl vor der Nähmaschine, der Hauptmann auf seinem von Ziegelsteinen gestützten Sessel, Rücken an Rükken mit dem Sessel auf dem sich Herr Schnee niedergelassen hatte, der Doktor auf dem Schirmständer, der Hausknecht auf einem Klappstuhl den er unter der Treppennische hervorgezogen hatte, der Schneider ganz im Schatten auf dem Fußboden in der Nähe der Haustür und ich selbst auf der dritten Stufe der Treppe. Kaum hat jeder seinen Platz gefunden und die Kante des Bechers an die Lippen gesetzt und den schwarzen heißen Kaffee an die Zungenspitze rinnen gefühlt, so öffnet sich die Tür zum Zimmer in dem die Familie wohnt und der Vater tritt heraus, auch er in der Hand einen Zinnbecher, in dem er mit einem Zinnlöffel rührt, und nach ihm die Mutter, mit einem ebensolchen Becher und Löffel, und nach der Mutter der Sohn, in jeder Hand einen Stuhl tragend. Zwischen dem Stuhl der Haushälterin und den Sesseln des Hauptmanns und des Herrn Schnee stellt er die Stühle ab und schiebt sie unter den Vater und die Mutter die sich auf den Stühlen niederlassen; dann wendet er sich um und geht in das Zimmer zurück und schließt die Tür hinter sich. Aus der Einförmigkeit der gemeinsamen Mahlzeit in der Küche entwikkelt sich hier in der Diele eine Vielfalt von Geschehnissen. Die Unregelmäßigkeit der Verteilung der Gäste im Raum schafft schon zu Anfang ein schwer überblickbares Muster in der Verkettung der Bewegungen und Laute. Die Haushälterin stellt den Becher auf der Nähmaschine ab und greift in die Schublade des Nähtischs wo die Knöpfe zwischen ihren

Fingern klirren; der Schneider zieht scharrend die Beine an und schlägt sie übereinander, dann entnimmt er seiner rückwärtigen Hosentasche die Pfeife und beginnt, sie mit Tabak, den er aus seiner seitlichen Hosentasche gezogen hat, zu stopfen; auch der Hauptmann greift in eine Tasche, in die Brusttasche seiner Weste, nimmt ein silbernes Etui hervor, klopft auf den Deckel, läßt den Deckel aufschnappen, wendet sich über die Rückenlehne des Sessels, reicht das Etui über Schnees Schulter, Schnee wendet sich ihm entgegen, läßt seine knöcherne Hand in großem Bogen in das Etui hineinstoßen, hebt eine Zigarette heraus, worauf der Hauptmann das Etui zurückführt, selbst eine Zigarette dem Etui entnimmt, das Etui zuklappen läßt und in die Brusttasche zurücksteckt. Dann greift der Hauptmann in seine Hosentasche und läßt die Hand mit einem Feuerzeug hervortreten; die Hand mit dem Feuerzeug schwingt sich über die Sessellehne, Schnee wendet sein Gesicht dem Feuerzeug entgegen, die Finger des Hauptmanns schlagen Feuer und Schnee saugt, mit der Zigarette im Mund, an der Flamme. Das über die Rückenlehne gewendete Gesicht des Hauptmanns liegt nahe an Schnees Gesicht, beider Augen sind seitwärts auf das Feuerzeug gerichtet und die Flamme spiegelt sich in ihren Pupillen; nachdem die Glut an der Spitze von Schnees Zigarette leuchtet und dieser eine Wolke blauen Rauches zwischen den Lippen hervorstößt führt der Hauptmann die Flamme an die eigene Zigarette, und Schnee sieht ihm zu, wie er an der Zigarette saugt und wie auch diese Zigarette zu glühen beginnt und der Rauch aus dem Mund des Hauptmanns quillt. Der Vater beugt sich vor und ergreift die Säbelscheide die noch vom Nachmittag, an dem der Hauptmann sich mit ihr beschäftigt haben mochte, her über der Sessellehne hängt; er hebt sie zu sich heran und befühlt sie; der Hauptmann wendet sich ihm zu, greift nach dem Gurt an dem die Scheide befestigt ist, schiebt die Scheide weiter zum Vater hinüber, läßt den Gurt aber nicht los. Während sie Worte, die ich auf Grund der Entfernung und ihres leisen Sprechens nicht verstehen kann, miteinander wechseln, beugt sich der Vater noch weiter vor, und der Hauptmann beugt sich noch weiter dem Vater entgegen, den Gurt fest in der Hand, und der Vater streicht mit den Fingern über die Scheide, bis zum Gurt hinauf, und steckt den Zeigefinger in die Scheide. Auch Schnee wendet sich dem Säbel zu und von den Worten mit denen er zum Gespräch beiträgt unterscheide ich Rost und säubern. Die Mutter ist indessen näher an die Haushälterin herangerückt und auch zwischen ihr und der Haushälterin werden Worte ausgetauscht von denen mir einige verständlich sind, wie Brei, einfädeln, lüften, der Junge aufs Kind aufpassen, später noch abwaschen, für den Sonntag, Futter geben, Brust geben, weh, drückt mir so. Die Haushälterin hat ein leinenes Hemd aus der unteren Lade des Tisches gezogen und beginnt, einen Knopf am Halsansatz anzunähen; Schnee nimmt aus der einen Tasche seines Hausrocks, aus der anderen ragt der Flaschenhals hervor, ein paar kleine Steine, wägt sie in der Hand und hält sie über die Säbelscheide, unter die Blicke des Hauptmanns und des Vaters; mit

Schnees eigenem Blick sammeln sich die Blicklinien zu einem Strahlenbündel auf den Steinen; ich vernehme einige der Worte aus der Folge der Sätze die Schnee ausspricht, wie besonders, ausgetrocknet, durchsetzt, nur noch zwei, werde morgen versuchen, einmal tiefer, von dort aus, wieder nicht, doch noch, wenn man einmal, es könnte schon sein. Der Vater streckt die Hand die er in die Säbelscheide gesteckt hatte nach den Steinen aus und betastet diese, und von seinen Worten unterscheide ich haben natürlich, vielleicht arbeiten, treibt sich nur herum, zu nichts nutze, werd ihn gleich fragen. Daraufhin wendet er sich zur Tür zum Zimmer der Familie und pfeift zwischen den Zähnen; drinnen im Zimmer ist ein Poltern zu hören, als würde ein Stuhl umgeworfen, die Tür wird aufgerissen und der Sohn erscheint, springt mit hochgezogenen Schultern über die Schwelle, läßt die Tür hinter sich offen stehen, springt durch die Diele am Stuhl der Mutter und der Haushälterin vorbei, wobei er an die Lampe stößt und die Lampe mit wehenden Fransen hin und her schwingt, auf den Stuhl des Vaters zu. Der Vater hebt die Hand und befestigt seinen Zeigefinger im obersten Knopfloch der Jacke des Sohnes, den Becher mit dem Daumen, dem Mittelfinger, Ringfinger und kleinen Finger festhaltend, und zieht den Oberkörper des Sohnes zu sich herab. In dem von einer von der Decke herabhängenden Glühbirne erleuchteten Zimmer der Familie kann ich den Säugling auf der grünen Decke des Bettes liegen sehen, die Beine emporgestreckt und mit den Händen nach den Füßen tastend, manchmal einen Zeh ergreifend und wieder verlierend, den Kopf mit Anstrengung aufrichtend und wieder fallen lassend. Aus dem Gespräch in das der Sohn hineingezogen wird, kann ich folgendes vernehmen, Worte des Vaters wie Frühe, Nutzen, Herrn Schnees Tätigkeit, lange genug zugesehn, einmal zeigen, Karren, Schaufel, Sand, sieben, acht, neun Steine, wegschaffen, putzen, einreihen; Worte von Herrn Schnee ausgesprochen wie natürlich, vorsichtig sein, sorgfältig, verstehen was es geht, bisher dreitausendsiebenhundertzweiundsiebzig Steine, von Grund auf lernen, auch mit Lohn rechnen; eingefügte Worte des Hauptmanns wie besser, sehr wohl, nicht das schlechteste, zu meiner Zeit, viel geändert. Der Sohn blickt während der Verhandlungen nicht auf den Vater und nicht auf Herrn Schnee oder die hingehaltenen Steine, sondern hinüber zu mir; seine Haare hängen ihm über die zu Längsfalten gerunzelte Stirn, seine Lippen schaben an den Zähnen und die Haut zuckt um seine tief in den Höhlen liegenden, schwarz aus dem Weißen hervorstarrenden Augen. Die Mutter, die ihr Gesicht dicht über die Handarbeit der Haushälterin gebeugt hatte richtet sich jetzt auf und biegt sich weit zur Seite, mit dem Arm nach dem Sohn ausgestreckt, sie zupft den Sohn am Saum der Jacke, Schnee knipst mit dem langen Nagel seines Zeigefingers an einen der Steine, der Hauptmann zieht die Säbelscheide zu sich heran und langsam gleitet sie durch die Hand des Vaters, die Mutter zerrt am Saum der Jacke des Sohnes, die Jacke ist von den Schultern des Sohnes hochgehoben, und unter der ziehenden Hand der Mutter rutscht die Jacke, mit den

herabsinkenden Schultern des Sohnes, nach unten, bis
der Saum der Jacke wie ein Rocksaum über seinen
Knieen hängt und die Schultern zu einer schrägen
Ebene herabgeflossen sind. Der Hauptmann hat die
Scheide des Säbels aus der Hand des Vaters herausgezogen, er hebt die Scheide und schlägt damit leicht auf
die niederhängende Schulter des Sohnes, während-
dessen hält die Mutter noch den Jackensaum des Sohnes fest und der Zeigefinger des Vaters ist noch im
Knopfloch der Jacke des Sohnes verhakt. Aus dem
Schatten unter der Treppe kommen Geräusche die auf
eine Veränderung der Lage hindeuten und ich sehe
jetzt daß der Schneider, wahrscheinlich kriechend, sich
dem Hausknecht genähert hat und dies wahrscheinlich weil der Hausknecht ihn mit einem Kartenspiel
herbeigewinkt hat. Die Hand des Hausknechts verteilt die Karten mit klatschenden Schlägen auf dem
Boden, so daß vor ihm ein wachsender Haufen liegt
und ein anderer vor dem Schneider. Dann ordnen sie
die Karten in der Hand, worauf der Hausknecht, tief
von seinem Klappstuhl herabgebeugt, eine Karte her-
vorzieht und sie mit Wucht auf den Boden wirft, und
der Schneider, hockend mit übereinandergeschlagenen
Beinen, dieselbe Geste, doch ausführlicher, noch einmal vollzieht. Auf diese Weise geht es hin und her
zwischen ihnen, und hinter ihnen, rücklings an den
Schirmständer gestützt, ist der Doktor zu sehen, mit
schmerzhaft verzogenem Gesicht, mit der einen Hand
den Verband am Gelenk der anderen Hand abwik-
kelnd. Zwischen den Kartenschlägen nehmen der
Hausknecht und der Schneider hier und da einen

Schluck aus dem Becher, den sie neben sich auf den Fußboden gestellt haben, auch der Hauptmann und Herr Schnee nehmen zuweilen einen Schluck aus dem Becher, den Schnee auf seinem einen Knie balanciert und der Hauptmann zwischen seinen beiden Knieen festklemmt. Auch der Vater nimmt einen Schluck aus dem Becher, wobei er die Brust des Sohnes mit dem immer noch festgehakten Zeigefinger zu sich heranzieht, und auch die Mutter, die sich wieder vom Sohn abgewendet hat, trinkt aus dem Becher, den sie neben den Becher der Haushälterin auf die Nähmaschine abgestellt hat, und auch die Haushälterin unterbricht dann und wann ihre Arbeit und schlürft einen Schluck, und auch ich nehme einen Schluck aus dem Becher dessen warme Rundung zwischen meinen Händen liegt. Die bloßgelegten Teile des Verbandes am Handgelenk des Doktors weisen Flecke von Blut und Eiter auf; er wickelt langsam weiter, während er das abgewickelte Ende zusammenrollt, und die Hand der Haushälterin mit der Nadel und dem Faden gleitet auf und ab, und die Mutter lehnt ihren Kopf zurück und gähnt mit weit aufgerissenem Mund, und der Zeigefinger des Vaters läßt das Knopfloch in der Jacke des Sohnes los, und Schnees Hand mit den Steinen senkt sich in die Tasche des Hausrocks zurück, und der Hauptmann hebt die Schöße seines Gehrocks und knöpft sich den Gurt mit der Säbelscheide um, und der Doktor löst, mit verzerrtem Mund, das letzte Stück des Verbandes vom Handgelenk und blickt auf die sichtbar gewordene flammend rote Haut, und der Hauptmann und Herr Schnee lehnen die Köpfe an

die Sessellehnen, so daß ihre Hinterköpfe einander
berühren, und der Schneider, nach dem ersten voll-
endeten Umgang des Spiels, mischt jetzt die Karten,
und der Sohn schleicht rückwärts auf Zehenspitzen
davon, auf die offene Tür zum Zimmer der Familie
zu, und die Zähne der Haushälterin beißen den Faden
ab, und die Mutter kratzt sich unter den Brüsten, und
der Doktor verläßt seinen Platz und kommt auf die
Treppe zu, mit der einen Hand das wunde Gelenk
der anderen Hand fassend, und der Schneider verteilt
die Spielkarten, und die Haushälterin wühlt in den
Knöpfen in der Lade und hebt einen neuen Knopf
hervor den sie an den Latz des Hemdes hält, und der
Sohn erreicht, rückwärts gehend, die Türschwelle, tritt
über die Türschwelle und zieht die Tür, rückwärts ins
Zimmer gehend, vor sich zu, und der Doktor geht an
mir vorüber, die knarrenden Stufen hinauf, ich rücke
zur Seite, ich höre ihn leise stöhnen; in der ausgebuch-
teten Tasche seiner Jacke steht der Becher in dem der
Kaffee gluckst.

Als jeder sich in sein Zimmer zurückgezogen hatte,
bis auf die Haushälterin, die sich noch in die Küche
begab um den Boden aufzuwischen, und als auch die
Haushälterin, nach dem Abschluß dieser Arbeit, das
Licht in der Küche, in der Diele und im Treppenhaus
gelöscht und die Tür ihres Zimmers hinter sich geschlossen hatte, hörte ich, auf meinem Bett liegend,
aus der Tiefe des Hauses wieder die Unruhe, das Poltern, Schlagen und Schreien. Da ich diese Unruhe von
anderen Abenden her kannte wußte ich, daß sie aus

dem Zimmer der Familie kam, und obgleich mir der Verlauf der Unruhe bekannt war erhob sich wieder, wie jedes Mal, die Frage, ob ich mich hinunter begeben sollte, um zu helfen, oder um einzugreifen, oder nur um vor der Tür zu stehen und zu warten. Und wie immer, blieb ich erst eine Weile liegen und dachte, daß die Unruhe von allein nachlassen würde, obgleich ich wußte, daß sie nicht von allein nachlassen würde; ich streute mir einige Körner Salz in die Augen, doch es entstanden keine Bilder; ich hörte nur die Unruhe in gedämpften Wogen über die Treppe aufsteigen. Dann erhob ich mich, ich hatte meine Schuhe schon ausgezogen, und ging auf Strümpfen durch das dunkle Treppenhaus hinab. Vor der Tür zum Zimmer der Familie blieb ich stehen und hinter der Tür hörte ich die sich überschlagende Stimme des Vaters, das Plärren des Säuglings, das Schluchzen der Mutter, das keuchende Atmen des Sohnes. Meine Augen gewöhnten sich allmählich an die Dunkelheit; hoch über der Treppe nahm ich das fahle violettblaue Viereck des Dachfensters wahr, und die Schwärze in der Diele war nicht so dicht, daß ich die Möbelstücke nicht als noch tiefere Schatten aus der Schwärze hervortreten sah. Ich beugte mich zum Schlüsselloch herab und blickte in das Zimmer, in dem die Mutter, den Säugling an sich gedrückt, auf der Kante des Bettes saß, und der Vater hinter dem Sohn her um einen Stuhl, den der Sohn vor sich hielt, lief; der Vater hatte den Sohn am Saum der Jacke gepackt, die Jacke war straff zurückgezogen und der Oberkörper des Sohnes ziehend vorgeschoben, und der Vater schrie Worte von

denen mir folgende verständlich waren, wirst du wohl, Knie nehmen, was ich dir, wenn du nicht, wirst du wohl, sag ich dir, daß du mir, ich werd dir; zwischen diesen Worten lag ein Gebrodel von Worten in dem sich seine Zunge verfing. Aus ihrem Schluchzen, und indem sie den Säugling vor ihrer Brust hin und herschaukelte, schrie die Mutter dem Sohn, jedes Mal wenn er an ihr vorbeirannte, Worte entgegen, und von diesen Worten, die teilweise im Schluchzen ertranken und teilweise von summenden Lauten, mit denen sie den Säugling zu beruhigen suchte, abgebrochen wurden, erfaßte ich diese, daß du es, wie kannst du nur, es wird noch, nun leg dich schon, verdient, sonst wirst du noch, nun halte schon, du mußt doch, nun halt schon auf, du wirst ihn noch, es wird ihm noch, er muß dir doch. Mitten im Lauf hielt der Sohn plötzlich inne, so daß ihn der Vater hart anrannte und fast umwarf und selbst fast umfiel, und schwankend standen sie einander gegenüber; doch dies dauerte nur eine Sekunde, dann ließ sich der Vater keuchend und schon wieder weiterschreiend auf den Stuhl, den er zu sich herangerissen hatte, niederfallen und zerrte den Sohn, der jetzt keinen Widerstand mehr leistete, zu sich herab, bis er bäuchlings über seinem Knie lag, worauf der Vater, den Hosenboden des Sohnes emporziehend, seine Hand auf das platt und schmal in den glänzenden Hosenstoff gespannte Gesäß des Sohnes herabklatschen ließ, wieder und wieder, wobei seine Stimme gänzlich unkenntliche, von jodelartigen Schreien umgebene, Worte ausstieß. Der Sohn lag still, seine Hände hingen auf den Boden hinab, und die Mutter, jedem Schlag des Vaters mit einer zuckenden Rückenbeugung folgend, redete auf den Sohn ein, und zwischen ihren undeutlichen, verweinten Worten unterschied ich diese, nun bitte ich, jetzt mußt du doch, nun bitt ihn schon, sonst wirst du noch, er ist ja schon. Mit jedem dieser Worte rückte sie etwas weiter über die Kante des Bettes vor, bis sie nur noch mit der äußersten Kante ihres Steißes an der äußersten Kante des Bettes lehnte. Der Sohn begann jetzt zu wimmern, mit künstlichen, hohen Kehltönen, und obgleich sich sein Mund an die Kniekehle des Vaters preßte, hörte ich die Worte die er mit seiner angestrengt verzogenen Stimme ausrief, ich wills nie wieder tun, ich wills nie nie wieder tun, ich tus nie wieder, nie nie tu ichs wieder. Der Vater hieb noch, mit ermattenden Schlägen, auf den Sohn ein, und schrie Worte von denen ich folgende verstand, so jetzt, jetzt endlich, jetzt siehst du es, so endlich, doch früher, nie wieder, wirst du nie, kannst du mir das, wie soll ich dir, wie kann ich denn, wirst du auch, hab ich dir jetzt. Seine Worte wurden, wie auch die Schläge, immer kraftloser, bis sowohl die Worte als auch die Schläge versiegten und nur noch ein röchelndes Stöhnen aus seinem Mund drang. Das Gesicht des Sohnes wendete sich um und er sah zum Gesicht des Vaters empor das jetzt eine kreidige Färbung angenommen hatte, mit blauen Flecken an den Schläfen und Wangen. Die linke Hand preßte der Vater an seine Brust, an die Stelle des Herzens, mit der rechten nestelte er am Kragenknopf; seine Augen waren geschlossen, sein Mund hing in Erschöpfung offen. Stöhnend rieb er sich die Brust, und der Sohn ließ sich langsam von den Knieen des Vaters herabgleiten, wobei er, mit starrem, ausdruckslosem Gesicht, das Gesicht des Vaters im Auge behielt. Die Mutter hatte den Säugling, der gell zu schreien begann, auf die Bettdecke abgelegt und lief, mit vorgestreckten Armen, auf den Vater zu. Der Vater stieß steif die Beine von sich und bäumte sich rücklings über die Stuhllehne, die Mutter packte ihn an den Armen, warf das Gesicht empor und schrie Worte zur Zimmerdecke hinauf von denen ich diese verstand, siehst du, angerichtet, getan hast, o daß du, du mit deinen, nicht ertragen. Der Sohn stand leicht vorgebeugt, mit herabhängenden Schultern und bis zu den Knieen herabhängenden Händen; sein Blick hatte sich jetzt vom Vater abgewendet und richtete sich auf das Schlüsselloch in der Tür, als könne er meinen Blick in der Dunkelheit hinter dem Schlüsselloch erkennen. Die Mutter, mit den Händen um den Kopf des Vaters greifend, schrie weiter, während der Vater steif ausgestreckt, die Absätze der Stiefel in den Fußboden gestemmt, über dem Stuhl lag, das Kreuz an die Kante des Stuhlsitzes, den Nacken an die Lehne des Stuhls gedrückt, und dies sind die Worte die mir, zwischen ihrem Stammeln und Schreien, verständlich waren, o was ist dir denn, wie ist dir denn, er dir nur angetan, o hilf hilf, nicht nur zusehn, hilf hilf. Sie versuchte, am Kopf des Vaters zu drehen, und dann, als dies ergebnislos blieb, die Hände des Vaters, von denen die eine an das Herz, die andere an die Gurgel gedrückt war, los zu biegen, und als auch dies ergebnislos blieb und der Vater weiterhin steif und röchelnd über dem Stuhl lag, eilte sie mit ein paar Schritten auf die Tür zu, wendete um, unternahm erneute Versuche am Kopf und an den Händen des Vaters, sprang wieder zur Tür und wieder zurück, wobei sie Worte rief von denen ich diese verstand, o hilf hilf doch einer, doch niemand, doch keiner, nicht lassen, hilf hilf, hast du getan, hast du getan, o hilf hilf doch. Auf diese Rufe hin öffnete ich die Tür und lief zum Stuhl und schob meine Hände unter die Schultern des Vaters und zog ihn empor, wobei mir die Mutter, indem sie von hinten nachschob, zur Hilfe kam; wir richteten den steifen Körper auf, doch kaum stand er senkrecht knickte er an den Kniekehlen, im Bauch und am Nacken ein, die Hände fielen von der Brust und vom Kehlkopf herab, die Arme schlenkerten in den Gelenken, die Mutter rief, Bett legen, schnell Bett, und so schleppten wir ihn zwischen uns zum Bett; auf dem Weg zum Bett stieß die Mutter mit einer auslangenden Beinbewegung den Sohn zur Seite und rief du dastehn, du zusehn, aber helfen, ist alles. Vor dem Bett legte sie mir den Vater in die Arme, mit den Worten, ihn halten, nur Kind zur Seite; und ich hielt den Vater, dessen Atem mir röchelnd und verbraucht ins Gesicht wehte, eng an mich gepreßt, bis die Mutter den immer noch schreienden Säugling hinauf auf das Kopfkissen geschoben hatte und sich wieder zu mir wandte um gemeinsam mit mir den Körper des Vaters auf das Bett zu heben. Während ich ihn an den Schultern herabließ zerrte sie seine Beine vom Boden auf, und so legten wir ihn, indem wir den oberen Teil seines Körpers senkten, und den unteren Teil seines Körpers hoben, auf das Bett. Wirst ihn noch umbringen, sagte die Mutter zum Sohn als der Vater ausgestreckt auf der grünen Decke lag, den roten Säugling zappelnd, nicht mehr schreiend, sondern, durch den naheliegenden Kopf des Vaters abgelenkt, neugierig lallend, über seinem Kopf. Der Vater öffnete die Augen und wandte das Gesicht mühsam zur Seite. Der Sohn, gebückt zum Bett schleichend und vor dem Bett auf die Kniee sinkend, sagte, wie in einem leiernden Gebet, nie wieder, nie wieder, nie wiedertun, nie nie wiedertun; und der Vater hob seine Hand und tastete mit der Hand nach dem Hals, dem Ohr und dem Scheitel des Sohnes, und von dort aus glitt die Hand über die Schläfe, die Backe und das Kinn des Sohnes, und dazu stöhnte er tief. Die Mutter, mit gefalteten Händen am Kopfende des Bettes stehend, nickte mir zu und wischte sich die Augen, und ich ging langsam rückwärts zur Tür; der geschlagene Sohn kniete, sein Gebet murmelnd, vor dem Bett des Vaters und der Vater lag mit ruhiger werdenden Atemzügen da, und seine Haut nahm nach der kreidigen Bleiche allmählich wieder ihre natürliche Färbung an. Ich erreichte, indem ich die Hand hinter mir ausstreckte, die Türklinke, drückte sie nieder, öffnete die Tür, ging rückwärts hinaus und schloß vor mir die Tür.

Zum ersten Mal in meinen Aufzeichnungen um weiter als einen sich im Nichts verlierenden Anfang hinausgeratend setze ich nun fort, indem ich mich an die Eindrücke halte die sich mir hier in meiner nächsten

Umgebung aufdrängen; meine Hand führt den Bleistift über das Papier, von Wort zu Wort und von Zeile zu Zeile, obgleich ich deutlich die Gegenkraft in mir verspüre die mich früher dazu zwang, meine Versuche abzubrechen und die mir auch jetzt bei jeder Wortreihe die ich dem Gesehenen und Gehörten nachforme einflüstert, daß dieses Gesehene und Gehörte allzu nichtig sei um festgehalten zu werden und daß ich auf diese Weise meine Stunden, meine halbe Nacht, ja, vielleicht meinen ganzen Tag völlig nutzlos verbringe; aber dagegen stelle ich folgende Frage, was soll ich sonst tun; und aus dieser Frage entwickelt sich die Einsicht, daß auch meine übrigen Tätigkeiten ohne Ergebnisse und Nutzen bleiben. Mit dem Bleistift die Geschehnisse vor meinen Augen nachzeichnend, um damit dem Gesehenen eine Kontur zu geben, und das Gesehene zu verdeutlichen, also das Sehen zu einer Beschäftigung machend, sitze ich neben dem Schuppen auf dem Holzstoß, dessen knorplige, mit Erde, Moos und welkem Laub beklebte Wurzelstücke einen bitteren, morschen Geruch ausströmen. Von meinem erhöhten Sitz aus überblicke ich die aufgestampfte und nach den letzten Regengüssen immer noch nicht ausgetrocknete lehmige Fläche des Hofes, an die sich die Längsseite des Hauses, mit der Treppe zur Küche und der Treppe zum Keller, schließt. Hinter dem Haus ist der Feldweg sichtbar; er verliert sich zwischen den Äckern, sein Verlauf aber ist an den Pfählen der elektrischen Leitungen kenntlich, und diese Pfähle erstrecken sich, immer kleiner werdend und enger aneinanderrückend, bis zur nebligen Rundung des Horizonts. Indem ich den Blick nach rechts wende sehe ich den Schweinekofen, über dessen Kante die Ohren des Schweines schlapp hin und herklappen und der Schwanz des Schweines sich ringelt; dann folgt der Abtritt, bräunlich schwarz, mit zerfetzter Teerpappe auf dem schrägen Dach; und um den Abtritt, in der Erde und in den dürren Grasinseln pikkend, rühren sich ein paar Hühner; zwischen ihrem Picken und Scharren stoßen sie kluckende Laute aus. Den Blick nach links wendend nehme ich den Steinhaufen hinter dem Schuppen wahr, und hinter dem Steinhaufen, von tiefen Räderspuren umlaufen, erhebt sich die Scheune, und hinter der Scheune breiten sich Äcker aus, und in den Ackerfurchen stampft ein Pferd, und hinter dem Pferd schwankt ein Pflug her, und hinter dem Pflug, halb auf dem Griff des Pfluges liegend, stampft der Hausknecht, und hinter den Äckern liegen die Waldungen in rötlich violettem Dunst, und niedrig über den Waldungen steht die rote, aus dampfenden Wolken hervorbrechende Sonne, und ihr Licht wirft, überall wo es auf eine über den Erdboden ragende Form trifft, einen langen schwarzvioletten Schatten. Das Fenster zum Zimmer der Familie steht offen und am Fensterbrett lehnt der Vater, er dehnt die Brust und die Arme, und hinter ihm ist der Sohn zu sehen, an den Tisch gestützt. Die Bewegungen des Vaters sind kräftig und erwartungsvoll, während die Haltung des Sohnes Schwäche und Ergebung ausdrückt; die Kniee der Mutter, die, auf Grund des blickbegrenzenden Rahmens des Fensters die einzigen sichtbaren Teile ihres Körpers sind, lassen mit ihren leichten Verschiebungen vermuten, daß sie, auf dem Bettrand sitzend, den Säugling in den Armen hin und herschaukelt. Die Küchentür öffnet sich und Schnee tritt hervor, schließt die Tür hinter sich und geht die Stufen der Küchentreppe hinab. Der Vater wendet sich nach dem Sohn um und ergreift, den Arm zurückschwingend, das Handgelenk des Sohnes und zieht den Sohn neben sich ans Fenster. Zwischen dem Vater und Herrn Schnee spielt sich die Morgenbegrüßung ab, deren Wortlaut ich nicht auffassen kann, doch die ich an den Gesten erkenne; beide nicken einige Male mit dem Kopf, der Vater streckt seine Hand zum Fenster hinaus und Herr Schnee reicht seine Hand zum Fenster hinauf und ergreift die Hand des Vaters, sie schütteln einander die Hand, dann dreht sich der Kopf des Vaters zwischen Schnee und dem Sohn hin und her und auch seine Hand fährt zwischen dem Sohn und Schnee hin und her, woraus ich schließe, daß der Vater sein gestriges Anliegen wiederholt und jetzt in die Tat umgesetzt sehen will. Gleich darauf schiebt er auch den Sohn zum Fensterbrett empor, Schnee streckt dem Sohn die Arme entgegen und der Sohn springt zu ihm hinab. Schnee und der Sohn gehen nebeneinander zu den Steinen neben dem Haus; Schnees Arm liegt auf den Schultern des Sohnes.

Der Sohn, nachdem er auf Schnees Anweisungen hin von verschiedenen Stellen her kleinere und größere Steine zusammengetragen und dann den Schubkarren damit gefüllt hatte (was an sich weder eine Erleichterung noch einen Zeitgewinn für Schnee bedeutete, da er sich zusammen mit dem Sohn über jeden Stein bückte auf den er zuerst mit dem Finger gezeigt, und dann den Stein, nachdem der Sohn ihn aufgehoben, mit den Fingern befühlt hatte, und sich dem Stein, während dieser vom Sohn auf den Haufen gelegt wurde, nachwandte und sich noch einmal über ihn bückte als er schon auf dem Haufen lag, und mit beiden Händen die Schaufel, die der Sohn in den Steinhaufen stieß, festhielt, und dann gemeinsam mit dem Sohn die Schaufel hob, oder besser, selbst die Schaufel hob, deren Gewicht durch die Arme des Sohnes noch erschwert wurde, und die Schaufel in den Schubkarren auslud, wobei er die an der Schaufel hängenden Hände und Arme des Sohnes mit sich riß), kam mit dem Schubkarren auf mich zu. Diese Verfrachtung der Steine hatte ihm Schnee überlassen; Schnee sah ihm nur nach, indem er die Hände rundete als hielte er selbst den Karren und indem er den Rücken in einer angestrengten Bewegung vorbeugte als schöbe er selbst den Karren. Der Sohn schob den Karren, mit aller Kraft über die Deichseln gebeugt, auf mich zu; er hatte nicht nur das Gewicht des Karrens nach vorn durch den Lehm zu schieben, sondern auch das Gewicht, das ständig nach rechts oder links hinabsinken wollte, in der Mittellage über dem Rad zu halten. Er schob den Karren auf mich zu und an dem langsam sich drehenden, bis zur halben Höhe der Speichen im Boden versinkenden Rad sammelten sich dicke Lehmklumpen, und auch an den Schuhen des Sohnes, weißen, löchrigen Gummischuhen, sammelte sich der

Lehm, und Spritzer des Lehms befleckten seine Hosen bis zu den Knieen. Um jedoch zum Steinhaufen hinter dem Schuppen zu gelangen mußte der Sohn einen Bogen nach links mit dem Karren beschreiben, oder, vom Sohn aus gesehen, nach rechts; er kam aber geradewegs auf mich zu, mühsam den Karren steuernd, und auch als ich mit der Hand nach links wies, um ihn auf die Richtung die er einzuschlagen hatte, aufmerksam zu machen, setzte er seinen Weg zu mir fort; ich winkte stärker mit der Hand und hielt den Arm weit nach links ausgestreckt, doch das Rad drehte sich langsam weiter durch den Lehm geradewegs auf mich zu. Schnee, hinten am Haus, streckte seinen rechten Arm weit aus und wies nach rechts, und so zeigten wir beide, Schnee, indem er nach rechts, und ich indem ich nach links wies, nach der gleichen Richtung, der Richtung die der Sohn einzuschlagen hatte wenn er zum Steinhaufen gelangen wollte; doch der Sohn schob den Karren dicht an den Holzhaufen heran und vor dem Holzhaufen setzte er ihn, unter meinen Füßen, nieder. Der Sohn richtete sich auf und blickte zu mir empor; ich hielt immer noch meinen Arm nach links ausgestreckt. Der Sohn wandte sich nach Schnee, der den rechten Arm immer noch ausgestreckt hielt, um, und in diesem Augenblick, während der Sohn sich nach Schnee umwandte und sich dann wieder zum Karren zurückwandte und die Hände aufs neue um die Deichseln legte, und die Muskeln spannte, um den Karren hochzuheben, überblickte ich noch einmal, noch klarer als zuvor, die um mich liegenden Bauwerke und Bestandteile der Landschaft;

ich sah die Ziegel auf dem Dach des Hauses, leuchtend in feuchtem, tiefem Rot, die Wetterfahne auf dem Schornstein und den dünnen bläulichen Rauch der aus dem Schornstein aufstieg, und ich sah das kristallene Glitzern von Sandkörnchen auf der Erde, und am Horizont eine zweite Rauchwolke, vielleicht vom Reisighaufen eines Jägers oder von einem brennenden Schuppen, und einen Hasen der durch die Ackerfurchen hoppelte, und die Gräser und Disteln die aus den verkommenen Äckern aufwucherten. Nun hatte der Sohn den Karren angehoben und wollte ihn zur Seite wenden; das Rad war bis zur Speichenachse in den Lehm gedrungen; er zog und schob, und hinten am Haus zog und schob Schnee, der den rechten Arm herabgesenkt hatte, mit gekrümmten Händen vor sich in der Luft; doch der Karren gelangte weder vor noch zurück, sondern schwankte nur nach rechts und nach links, bis er, nach einem heftigen Anrücken, umkippte und polternd seine Last entlud. Der Sohn stand eine Weile still und blickte auf die herausgerollten Steine nieder. Der Vater beugte sich aus dem Fenster des Zimmers der Familie und schrie Worte von denen ich Arbeit ausführen und dir zeigen verstand; er fuchtelte mit der hochgehobenen Faust und der Sohn ließ sich auf die Knie nieder und begann, die Steine, Stein nach Stein, in den Karren zurückzulegen. Ich kletterte vom Holzhaufen herab und kniete mich neben dem Sohn in den weichen Lehm und half ihm, den Karren mit den Steinen zu füllen, und als der Karren gefüllt war ergriff ich zusammen mit dem Sohn die Deichseln und schob den Karren, in gemeinsamer Anstrengung mit dem Sohn, am Holzhaufen vorüber auf den Schuppen zu, und dann am Schuppen vorbei auf den Steinhaufen zu. Am Steinhaufen angelangt hoben wir die Deichseln und schütteten die Steine aus dem Karren auf den Haufen, und dann wendete der Sohn den leeren Karren und schob ihn allein in der gezogenen Spur zu Schnee zurück, der ihn mit herabhängenden Armen erwartete und, nachdem der Sohn ihn erreicht hatte, mit der selben Tätigkeit des Bückens, Hochhebens, Sammelns und Einladens fortsetzte. Dieser Tätigkeit sah der Vater, weit aus dem Fenster gebeugt, mit verschränkten Armen auf dem Brett des Fensters liegend, zu. Er sah zu, wie der Sohn zusammen mit Schnee sich über die Steine beugte und die Steine auf einen Haufen legte und dann mit der Schaufel in den Steinhaufen stieß und die Schaufel in den Karren leerte; und auch ich, wieder auf dem Holzhaufen sitzend, sah der Tätigkeit zu, wobei ich sah, daß einige Augenblicke lang auch die Haushälterin, die oben im Haus das Fenster ihres Zimmers geöffnet hatte, um die Laken ihres Bettes auszuschütteln, dieser Tätigkeit, nachdem sie die Laken ausgeschüttelt hatte, zusah und so lag Schnees und des Sohnes Tätigkeit im Brennpunkt unserer Blicklinien. Nachdem der Schubkarren wieder mit Steinen angefüllt worden war ergriff der Sohn die Deichseln und schob den Karren in der gezogenen Spur auf mich zu. Dieses Mal drehte sich das Rad, da der Lehm in der Rinne festgedrückt war, leichter, doch das Halten des Gleichgewichts des Karrens fiel dem Sohn dieses Mal schwerer, und dies erklärte ich mir daraus, daß der Sohn voriges Mal, als er den Karren durch den widerstandskräftigeren Lehm schob, sich schwerer über die Deichseln und die Mittellinie des Karrens beugte und damit das Gewicht, das nach links oder rechts herüberschwanken wollte, ausglich, während er jetzt, da er das Gesamtgewicht des Karrens nur an den äußersten Enden der Deichseln vor sich hinsteuerte, den Karren als wuchtigere und selbständigere Masse vor sich hatte. Ich winkte mit der Hand, indem ich sie ihm entgegenstreckte und zu mir heranzog, womit ich andeuten wollte, daß er sich mit dem Oberkörper weiter dem Mittelpunkt des Karrens entgegenbeugen müsse, und hinten am Haus vollführte Schnee, der dem Sohn nachblickte, eine von seiner Brust ausgehende und dem Sohn entgegenstrebende Bewegung mit der Hand. Doch der Sohn, nur darauf achtend daß er das Rad des Karrens in der vom Karrenrad gezogenen Spur hielt, achtete nicht auf meine Handbewegung und wandte sich auch nicht nach Schnee um, wobei er auf Schnees Handbewegung hätte aufmerksam werden können; er schob den, nur von den ausgespannten Armen rechts und links gestützten Karren auf mich zu, bis er dicht vor dem Holzhaufen an die gleiche Stelle geriet an der er das vorige Mal den Karren wenden wollte, und hier hatte sich, durch das Stillstehen und Hin- und Herrücken des Karrens eine Vertiefung in der Spur gebildet, und das Rad sackte in dieser Vertiefung ein, und der Körper des Sohnes war allzu weit vom Karren entfernt um diesen, da er durch ein einseitiges Schieben an der Deichsel in eine schräge Lage geraten war, wobei die zur Seite rollenden Steine den Druck unmittelbar verstärkt hatten und das ganze Gewicht des Karrens mit sich nach unten rissen, vorm Umkippen bewahren zu können, und so kippte der Karren, an der gleichen Stelle wie zuvor, um.

Ich konnte nicht die Kraft aufbringen, noch einmal zu beschreiben, wie ich mich vom Holzstoß hinabbegab und dem Sohn beim Aufklauben der Steine half, sondern ich legte mich, nachdem ich, nachdem ich mich nach dem Aufklauben der Steine in mein Zimmer begeben, diesen letzten Abschnitt meiner Beobachtungen niedergeschrieben hatte, auf mein Bett, streute mir ein paar Salzkörner in die Augen und sah, nach einem kurzen verschwommenen Stadium, ein Bild vor mir, oder besser, ich glitt in das Bild hinein; es war als bewege ich mich auf einer Landstraße dahin, einer breiten, asfaltierten Straße; es war als säße ich, bequem zurückgelehnt, in einem Automobil, einem Omnibus (das Fahrzeug war nicht zu sehen, es bestand nur aus einem Gefühl des Fahrens, des Dahingleitens), und während ich ebenmäßig und ruhend dahinglitt sah ich, soweit mein Blick reichte, längs der Landstraße Elche oder Hirsche, gewaltige Tiere, paarweise in der Begattung liegen; die Köpfe mit den riesigen Geweihen waren hoch emporgereckt und aus den aufgerissenen Mäulern stieg der Dampf der heißen Atemzüge. Die Hufe der männlichen Tiere schlugen hart liebkosend den Weibchen in die Schultern und in die Brust, und zu den rhythmischen Bewegungen der schweren Leiber war ein dumpfes, kicherndes Röcheln

aus allen Kehlen zu vernehmen. Während ich an der unendlichen Reihe der Tiere vorüberglitt zerfloß das Bild und die Umrisse des Zimmers schimmerten hindurch. Hineinblickend in die Umrisse des Zimmers, zwischen denen die Tiere sich noch schattenhaft regten, hörte ich, dem Geräusch des beinernen Zusammenprallens der Geweihe nachlauschend, ein Klopfen an der Tür, und das Klopfen wusch die letzten Reste des Bildes fort und ließ das Zimmer mit seinen Wänden, seinen Gegenständen, seinem Fenster und seiner Tür klar aus den Umrissen hervortreten, und auf das Klopfen hin öffnete sich die Tür, ohne daß ich auf das Klopfen geantwortet hätte, und der Doktor trat in das Zimmer, auf einen Stock gestützt, schloß die Tür hinter sich und lehnte sich, indem er sich die umbundenen und umpflasterten Stellen am Kopf und im Gesicht betastete, an die Wand. Seine Lippen regten sich, doch seine Stimme war nicht zu vernehmen, ich richtete mich auf und legte die Hand hinter mein Ohr, doch nicht einmal ein Flüstern war zu hören; da stand ich auf und ging nah an ihn heran und legte mein Ohr dicht an seinen Mund und nun konnte ich mir aus seinen Atemzügen und Zungenbewegungen folgende Worte deuten, Wunden nicht heilen, wie ich auch schneide, tief aushöhle, bis auf die Knochen, Messer auf Knochen knirschen, schaben, abbrechen, sitzt noch tiefer, abbinden, die ganze Nacht, die ganze Nacht wacht, immer noch Blut, Eiter, weiter, unten am Arm, dann weiter oben, hoben, Achselhöhle, Oberarmknochen, Wasser kochen, Gelenk, verrenk, hochbinden, finden, bis zu den Rippen, in der Brust, tief

in der Brust, Herz frei legen, Lungenflügel, Beine,
Gips um die Knöchel legen, sägen, ausfegen, um die
Waden, Schienenbeine aufgeschnitten, Sehnen, Gips
ums Knie legen, Oberschenkel, tief im Unterleib, zwei
Töpfe Eiter und Blut, weiter in Wut, und jetzt (bei
diesen Worten nahm er die schwarze Brille ab und
seine Augen starrten mit einem leeren weißlichen
Schimmer vor sich hin) nichts mehr zu sehen, selbst
stärkstes Licht, ganz im Dunkeln, im Dunkeln wei-
terschneiden, Messer ansetzen, abgleiten, erweiten,
herumtappen, zusammenlappen, Instrumente nicht
finden, im Dunkeln verschwinden, wo Wattebäuschel,
träufeln, wo Äther, wo Klammern, wo Nadeln, Faden, Wunde offen, aufs Geratewohl, Arm ganz zer-
schnitten, Richtung verlieren, wohin, wo die Tür, der
Tisch, verkehrte Tür gehn, weiß nicht Treppe hinauf
oder hinunter, oben oder unten, im Dunkel sitzen,
weiß nicht Arm oder Bein, Schmerz ganz gleich, ganz
gleich Schmerz überall, wo auch hinschneiden der selbe
Schmerz, Schmerz ausmerzen, übertönen, dagegen an-
singen; und bei diesen Worten hob er die Stimme und
begann, halb stöhnend und mit den Zähnen knir-
schend, zu singen, singen, anklingen, Messerklinge,
gegen Messerklinge klingen, aus Kehle dringen, in
Kehle drinnen, Blut und Stimme verrinnen. Ich stützte
ihn am Arm, öffnete die Tür, leitete ihn aus meinem
Zimmer heraus, schloß die Tür hinter uns, leitete ihn
durch den Bodenraum, auf die Treppe zu, und auf
diesem Weg sang er weiter, wohin, wohin leitet er
mich, der Kranke, mich den Arzt, wohin, wohin führt
er mich, wohin, wohin, wohin führt der Kranke den

Arzt; und als wir die Treppe erreicht hatten und ich
vor ihm rückwärts die Treppe hinunterging, indem
ich ihn an den Armen hielt und seine steifen Füße
lenkte, sang er weiter, über eine Treppe führt er ihn,
eine Treppe, eine Treppe entlang, eine liegende Zick-
zacktreppe, zickzack führt er ihn eine Treppe entlang,
auf einer langen Treppe angelangt, zwischen hier
einer Wand und da einer Wand, an der einen Hand
eine Wand, eine Wand an der andern Hand, wandern
an einer langen Wand entlang. Nachdem wir den
Korridor erreicht hatten führte ich ihn längs des Kor-
ridors zur Tür seines Zimmers, und auf diesem Weg
sang er, jetzt der Boden eben, über dem Boden schwe-
ben, noch einen Schritt leben und noch einen Schritt
leben, wer ist bei mir, wer hält mich, der Kranke, der
Kranke den Arzt; und als wir vor seiner Tür angelangt waren und ich die Klinke der Tür niedergedrückt hatte und ihn in sein Zimmer führte, sang er,
niedergedrückt die Klinke, niedergedrückt die Klinge,
singend eingedrungen ins Zimmer, der Kranke den
Arzt ins Zimmer, schlimmer, immer schlimmer im
Zimmer, hörst du es wimmern im Zimmer, in welchem
Zimmer, wo, in welchem Zimmer, wo, wo; und als ich
die Tür seines Zimmers hinter uns geschlossen hatte
und ihn zu seinem Bett führte und auf sein Bett nie-
dersetzte, ging sein Gesang in ein eintöniges, immer
schwächer werdendes und schließlich versiegendes O
über. Sein von vier Wänden, einem Fußboden und
einer Decke gebildetes Zimmer ist so eingerichtet, daß
sich, mit den Augen des Eintretenden gesehen, rechts
neben der Tür ein langer, aus grobem Holz, schein-

bar holprig von den Händen des Doktors selbstge-
zimmerter Tisch bis zur Mitte des Zimmers erstreckt,
wo er an einen zweiten, im rechten Winkel nach rechts
sich erstreckenden Tisch stößt, der seinerseits an einen
dritten, im rechten Winkel nach links vorstoßenden
Tisch stößt, der sich fast bis zur der Tür gegenüberliegenden, mit einem Fenster versehenen Wand erstreckt,
so daß nur ein schmaler Spalt zwischen Wand und
Tisch vorhanden ist, durch den man sich vielleicht mit
Mühe seitwärts hindurchdrängen kann, wobei man
dann, das Fenster links neben sich, an einem kleinen,
hohen, runden, mit Pinzetten, Messern, Nadeln, Gläsern, Flaschen, Näpfen und Schachteln angefüllten
Tisch vorüberkommt an den sich unmittelbar ein zweiter ebensolcher Tisch schließt, worauf man drei Stühle
vor sich hat, hoch mit Bücherstößen beladen, worauf
man, da die im rechten Winkel zur Fensterwand und
zur Türwand liegende Wand einen davon abhält, geradewegs weiterzugehen, nach rechts abbiegt und so
die ebengenannte Wand links neben sich liegen hat
und zur Rechten, im Raum zwischen dieser Wand
und den in Winkeln gegeneinandergestellten Tischen,
einen kleinen, niedrigen, viereckigen Tisch erblickt,
auf dem sich eine mit Blut gefüllte Schüssel befindet,
und hinter diesem Tisch einen zweiten, etwas höhe-
ren viereckigen Tisch, auf dem blutige und vereiterte
Wattebäuschel liegen, worauf man, da man nun bis
zur Türwand vorgestoßen ist, entweder zur Fensterwand umkehren kann oder, um wieder zur Tür zu
gelangen, unter dem ersten langen Tisch hindurch-
kriechen muß, welches ich in Gedanken wähle, um

mich, wieder vom Standort an der Tür, der linken
Hälfte des Zimmers widmen zu können, in der man
zunächst einen hohen, mit einer Glastür versehenen
Schrank vorfindet, dessen Fächer mit zahllosen brau-
nen, grünen und schwarzen, mit Etiketten versehenen Flaschen angefüllt sind, sowie mit, auch mit Etiketten, oder zumindest mit Schriftzeichen, Stempeln
und Ziffern versehenen Kästchen, Paketen und Tüten,
worauf man einen ledernen Sessel, auf dessen Rückenlehne und Sitz ein paar jodfleckige Handtücher liegen,
erblickt, und danach das Bett, mit einem Gestell aus
weiß bemaltem Eisen, worauf nur noch der Nachttisch,
auch dieser vollstehend mit Fläschchen, Tuben und
Schachteln, am Kopfende des Bettes genannt zu werden braucht, um den Überblick über das Inventar des
Zimmers des Doktors abzuschließen. In diesem Zimmer stand ich jetzt nachdem ich den Doktor auf das
Bett niedergesetzt hatte, vor dem, mit dem Oberkörper hin und herschaukelnden Doktor, bis die Haushälterin in der Diele mit einem Löffel auf den Deckel
eines Kochtopfes schlug, was das Signal zum Früh-
stück war, worauf sich zwei Türen im Flur öffneten,
die Tür des Schneiders und die Tür des Hauptmanns,
und draußen vor dem Haus die schweren, stampfen-
den Schritte des Hausknechts, der sich schon lange vor
dem Signal der Haushälterin, wahrscheinlich nach
mehrmaligem Hervorziehen und Aufklappen seiner
Taschenuhr, vom Acker her mit dem Pferd zum Stall
und vom Stall aus zur Küchentür begeben haben
mußte, zu hören waren, sowie die Stimme der Mutter,
aus dem Fenster des Zimmers der Familie dringend,

nach dem Sohn rufend, und die Schritte des Herrn
Schnee, vom Hof her auf die Küchentreppe zu, und
daraufhin meine und des Doktors Schritte, da ich den
Doktor vom Bett emporgezogen hatte und ihn nun
wieder durch das Zimmer zur Tür leitete und von
dort, nachdem ich die Tür geöffnet und hinter uns geschlossen hatte, durch den Flur und die Treppe hinab,
und durch die Diele zur Küche, in der nun, nach unserer Ankunft, sämtliche Teilnehmer an der gemeinsamen Mahlzeit versammelt waren. Ehe wir uns an
den Tisch setzten näherte sich die Haushälterin dem
Hauptmann und hob ihre gespitzten Finger seinem
Rücken entgegen, um einen langen weißen Faden, der
in geschlängelter Linie auf seiner Jacke klebte, zu ent-
fernen. Sie hob den Faden empor, zeigte ihn dem
Hauptmann, der sich über ihn beugte und ihn betrachtete, und trug ihn zum Ausguß, wo sie ihn her-
abfallen ließ; langsam schwebte er hinab. Nun nahmen wir Platz, ergriffen jeder eine Scheibe des schon
geschnittenen Brotes, strichen Schmalz darauf und
begannen, es zum Kaffee, den die Haushälterin aus
der blauen Kanne in unsere Näpfe goß, zu verzehren.
Auch jetzt machte sich die Eßlust des Schneiders wieder bemerkbar, obgleich der Schneider eben erst sein
Schlafzimmer verlassen hatte, während wir anderen,
außer dem Hauptmann, schon ein paar Stunden in
Bewegung, teilweise im Haus und teilweise im Freien,
verbracht hatten; im Verschlingen der Brotscheibe
tat er es fast dem in den Geruch des abgewerkten
Ackers gehüllten Hausknecht gleich. Doch als er sich,
als Erster, einer neuen Brotscheibe zuwenden wollte,

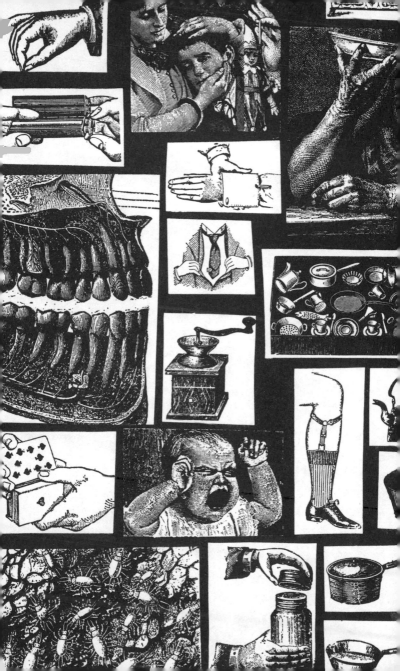

hielt er plötzlich inne, mit einer in Überraschung erstarrten Gebärde, griff sich in den Mund und zog sich einen Zahn, der sich während des heftigen Kauens gelöst haben mußte, aus dem Unterkiefer. Er hielt den Zahn vor sich hin und starrte ihn an. Der Hauptmann sagte, ein Zahn. Auch die Haushälterin sagte, ein Zahn. Herr Schnee streckte die Hand über den Tisch unter die Hand des Schneiders die den Zahn hielt und sagte, mir geben. Der Schneider senkte den Zahn in die Hand Schnees herab, Schnee führte den Zahn zu sich heran, wischte ihn mit seinem Taschentuch ab, betrachtete ihn und ließ ihn in die Brusttasche seiner Jacke gleiten, wobei er sagte, auch Zähne in meiner Sammlung. Der Schneider legte die Brotscheibe die er schon ergriffen hatte, wieder zurück und saß nun unbeweglich da. Der Hausknecht aß unbekümmert weiter. Der Doktor kaute mühsam an seinem Brot. Herr Schnee aß weiter. Die Haushälterin aß weiter. Der Hauptmann aß weiter. Ich aß weiter, um das plötzlich aufsteigende Gefühl der Unendlichkeit dieses Morgens zu ersticken.

Zuweilen, wenn einer der Gäste Geburtstag hat, oder an einem, im Kalender ausgeschriebenen Feiertag, oder auch an einem beliebigen anderen Tag, wenn ihr gerade der Sinn danach steht, lädt uns die Haushälterin am Abend zu einer Geselligkeit in ihrem Zimmer ein. So war es auch an diesem Abend. Alle betraten, nachdem die Haushälterin uns bei der Abendmahlzeit zu einem Besuch in ihrem Zimmer eingeladen hatte, und nachdem auch die Familie herbeigerufen worden war, ihr Zimmer, um den Kaffee dort in den Blechnäpfen einzunehmen. Jeder überschritt, den in der Küche mit Kaffee gefüllten Napf in der Hand, die Schwelle, und begab sich in die Tiefe des Zimmers, indem man zunächst zur Rechten einen ovalen, mit einer Spitzendecke gedeckten und mit einer großen violetten Glasvase versehenen Tisch, und zur Linken eine Kommode mit Fotografieen von älteren und jüngeren Frauen, jungen Mädchen, einem mit einem Reifen spielenden Kinde, einem auf dem Bauch liegenden Wickelkind, älteren und jüngeren Männern, teils bartlos, teils mit Schnurrbärten und Kinnbärten, passierte und sich dann einerseits an der Rückenlehne eines mitten in das Zimmer vorstoßenden Sofas und andererseits an einem viereckigen, auch wieder mit einer Spitzendecke gedeckten Tisch, auf dem eine Porzellangruppe, eine Hirtin in einer Krinoline, mit drei Schafen und einem springenden Hund, stand, vorbeibewegte, worauf man, links, am hohen Säulenfuß einer, mit einem Pergamentschirm bedeckten Lampe und, rechts, an einem neben dem Sofa stehenden niedrigen Tisch mit einer runden Messingplatte, auf der eine mit bunten Garnknäueln gefüllte Kristallschale, ein mit Muscheln besetztes Kästchen, ein Kerzenhalter aus Messing mit einer Kerze die jedoch nicht brannte, ein Tintenfaß und ein Bügeleisen standen, vorüberkam, und sich dann entweder nach rechts, wo man zwei tiefe, gepolsterte Sessel, einen hohen schwarzen Stuhl mit korkzieherförmig gedrechselten Lehnenpfosten und einen weiteren, mit einer seidenen Decke gedeckten ovalen Tisch, auf dem eine in ein lockeres

Gewand gehüllte, an Brüsten und Beinen nackte, fleischfarbene Tänzerin aus Porzellan, sowie ein naturgetreu bemaltes Rehkitzchen aus Holz und eine grüne Likörflasche mit zehn Gläsern standen, vor sich hatte, oder nach links, wo ein Korbstuhl, ein runder Tisch mit einer mit einem Seidenschirm versehenen Lampe, ein lederner Sessel, ein gepolsterter Hocker, ein Fußschemel, ein Nachttischchen mit einer Marmorplatte, auf der ein Kamm, eine Schere, eine Schale mit Fett, ein paar Lockenwickler und eine kleine bäuchige Flasche teils lagen, teils standen, und das, mit einer weißen, wollenen Decke bedeckte Bett zu sehen war, begab. Außer diesen Stühlen und Tischen, zwischen denen man nun verteilt stand, fügten sich rings um die Wände noch weitere Möbelstücke und Gegenstände; an das Fußende des Bettes schloß sich ein Waschtisch, mit einer Wasserschüssel und einem Wasserkrug aus Porzellan, einem Glas mit einer Zahnbürste, einer Seifenschale, einer Haarbürste, einer Fingerbürste und einigen Haarnadeln; über dem Waschtisch hing ein Spiegel, in dem sich ein Teil der Möbel und ein Teil der Gäste spiegelten, neben dem Waschtisch stand ein hoher Schrank mit geschlossenen Türen; über dem Bett hing ein Bild das ein Wildschwein, von Hunden gejagt und von mit Spießen bewaffneten Jägern im Dickicht eines Waldes angefallen, darstellte, und ein zweites Bild, über dem Kopfende des Bettes, auf dem man einen mit Veilchen gefüllten Korb sehen konnte. War der Blick am Fenster, zu dessen Seiten hohe, schwere Gardinen aus dunkelblauem Samt hingen, und vor dem ein langer niedriger, mit Blattgewächsen angefüllter Tisch stand, vorübergeglitten, so stieß er auf ein, in einem Kübel stehenden, bis zur Zimmerdecke reichendes baumartiges Gewächs mit großen schwertförmigen Blättern, auf einen weiteren runden, mit einer Spitzendecke gedeckten Tisch, auf dem sich eine, mit einem Schirm aus Glasperlen versehene Lampe und eine Spieldose befanden, auf eine zweite, mit Fotografieen, die teilweise auch ältere und jüngere Männer und Frauen, teilweise ein Haus, dort die Bucht eines Meeres, mit einem Stückchen Strand und einigen Strandkörben zwischen großen runden Steinen, hier eine hohe, über eine Bergschlucht führende Eisenbahnbrücke, dort ein Denkmal mit einem auf einem Pferde reitenden Reiter, hier einen hoch über Bäume ragenden Aussichtsturm und dort eine breite Allee in einer Stadt abbildeten, gefüllte Kommode, auf eine halboffene, in eine Garderobenkammer führende Tür, auf einen anderen hochlehnigen, gedrechselten, schwarzen Stuhl über dem ein, eine verschneite, von Mondlicht bestrahlte Hügellandschaft darstellendes Bild hing, sowie schließlich auf noch einen Tisch aus Korbgeflecht, der eine große, körnig tönerne und mit Blumen bemalte leere Vase trug. Die Haushälterin die als erste in ihr Zimmer getreten war, füllte, nachdem sie ihren Kaffeebecher auf dem Tisch mit der Likörflasche abgestellt hatte, neun der zehn Gläser mit dem grünen Likör aus der Flasche und reichte jedem der Gäste, die ihr von allen Seiten her je einen Arm entgegenstreckten, ein Glas, wobei jedoch manche der Gäste, auf Grund des Abstandes und der Behinderung durch ein dazwischenstehendes Möbelstück, nicht selbst das Glas aus ihrer Hand erreichen konnten, sondern es aus der Hand eines der anderen oder mehrerer der anderen zwischen dem abseits stehenden Gast und der Haushälterin stehenden Gäste hingereicht bekamen; hierbei entstand ein vielfaltiges Vorbeugen und Zurseitebeugen der Oberkörper der Anwesenden, ein Kreisen, Auslangen und Einziehen von Armen, bis jeder sein Glas erhalten hatte und nur noch ein einziges leeres Glas neben der Flasche stand. Die Haushälterin und die Mutter nahmen auf dem Sofa Platz und ihnen gegenüber saßen, in den tiefen Sesseln, der Hauptmann und Herr Schnee, und, auf dem hohen, schwarzen Stuhl, der Vater, während der Doktor, die Rükken der Haushälterin und der Mutter und den Rücken des Sofas betrachtend, sich auf dem ledernen Sessel niederließ, der Hausknecht den gepolsterten Hocker, und der Schneider den Schemel als Sitzplatz wählten. Ich selbst stand am Fenster, in der einen Hand den Becher, in der andern Hand das Glas, und der Sohn, der kein Glas erhalten hatte (es war der Vater der ihm dies verwehrte; die Haushälterin hätte ihm, wie dies früher einmal, bei einer ebensolchen Zusammenkunft wie der heutigen, hätte, wäre es nicht durch das Eingreifen des Vaters verhindert worden, eintreffen können, sicher das letzte leere Glas gefüllt und gereicht), stand neben mir, die eine Hand um den Becher gelegt, die andere festgekrampft an der Gardine hängend, an der Gardine, zu der er hinaufblickte, ziehend, wie um ihre Stärke zu prüfen. Von den Worten die die Haushälterin, deren Schenkel unter die niedrige Tischkante gezwängt waren, zur Mutter die, behindert durch die über die Sofalehne vorstoßende Kante des ovalen Tisches, schräg der Haushälterin entgegengelehnt saß, äußerte, verstand ich folgende Bruchstücke, Bohnen lange kochen, Schinken, Speckschwarte, Fett auslassen, gestocktes Fett, Schmalz, Gans (ganz); worauf ich die Mutter, die ihr Glas hob und daran nippte, sagen hörte, wohl schläft, losstrampeln, Decke (Deckel) fallen, Windeln naß, weckt einen, geht Milch aus, immer saugen, heute auch Bohnen. Von den Worten des Hauptmanns, mit denen er, die Beine übereinandergeschlagen, abwechselnd einen Schluck aus dem Becher und einen Schluck aus dem Glase nehmend, Herrn Schnee ansprach, verstand ich, Ruhe genießen, in Ruhe richtig, selten in früheren Zeiten, so wie damals; worauf ich Schnee, der seinen Becher vor sich auf den Tisch gestellt hatte und das Likörglas in seinen großen knöchernen Händen drehte, entgegnen hörte, doch ganz (Gans), anders gearbeitet, was anderes, handeln, zusammengesammelt; worauf sich der Vater, der seinen Stuhl dicht an Schnees Sessel zog, mit folgenden mir verständlichen Worten an ihn wandte, erleichtert, trotz vielleicht nicht ganz leicht, ungeschickt, schleicht, Speichen, immer stolpern, immerzu stolpern, ihn mir grünlich (gründlich) vorgenommen. Schnee antwortete darauf, zufrieden natürlich, würde ich, merkwürdig, aller Anfang, schwer ist jeder, alles Sache der Geduld, ohne Geduld, zusammen Sammlung zusammengesammelt; seine übrigen Worte gingen verloren unter der kichernd aufsteigenden Stimme der Haushälterin, folgende Worte ausrufend, könnte man einmal, ein Mann einmal, welche von der

Mutter mit den Worten Bräutigam wählen, an Fingern abzählen, ergänzt wurden, worauf die Haushälterin Worte äußerte die mir jedoch entgingen weil sich gleichzeitig der Schneider mit folgenden deutlich werdenden Worten, besser fühlen, viel besser wenn Wetter besser, auch immer im Rücken, mit dem Rücken tun, ehe Wetter umschlägt, Regen zuende, lange genug, immer in den Rücken, einmal vor zwei Jahren, nein zwei, nein zweieinhalb Jahren, so daß ich nicht aufrichten, nein drei Jahre, einem immer im Rücken, noch länger her, auch voriges Jahr, da auch Rücken, jetzt besser, ganzer Nachmittag Sonne, an den Doktor wandte. Der Doktor, das Glas an den kaum sich regenden Lippen, sprach ganz leise, keine Besserung, noch nicht, keine Besserung absehen, gleichgültig, was schon aus, doch aus, doch nagen; übertönt von den Worten des Hausknechts mit denen sich dieser sowohl an den Doktor als auch an den Schneider wandte, kann bestätigen, Acker nachmittags, abgeackert (abgerackert), Wolken, klärt sich auf, an Wolken sehen, auch in Handgelenken und Knieen, hatte einen Onkel, Wasser sucht (Wassersucht, was er sucht), nicht mehr rühren können; worauf wieder ein paar herausgelachte Worte der Haushälterin in mein Ohr drangen, aber schmeckt, das schmeckt, gegessen im Bahnhofshotel, damals im Bahnhofshotel, besseres gar nicht denken, oder kaum; das Lachen der Mutter übertönte die folgenden Worte von denen ich nur, wills nicht sagen, wissen schon, verstand; woran die Mutter, mit einem Seitenblick auf den Vater, folgende Worte knüpfte, vor zurück, vor zurück, exerzier, futsch, aus;

und diese Worte ertranken wieder im Gelächter der Haushälterin. Vom Hausknecht hörte ich dann, noch Kuh hatten, führten Stier, Karren anfahren, war der Kutscher, auch jetzt noch kommt, Block hochheben, Stier heraus, witterte schon, Schaum vorm Mund, mit Hörnern ankrachen, hielt die Kuh, wollte nicht ran, festgebunden, Schwanz, rammen; worauf sich der Doktor zum Hausknecht vorbeugte und fragte, ist Kuh lange her, nie gesehen, vor meiner Zeit; was der Hausknecht beantwortete mit, Mißgeburt, geschlachtet, Verlust, lohnt sich nicht, Landwirtschaft, ohne Hilfe, Gewalt, verkommt alles; worauf der Doktor, die Sicherheitsnadel am Verband um seinen Kopf öffnend, sagte, mehrere Jahre her, oder Monate; und dann, zur Haushälterin herüberrufend, wie lange eigentlich hier, wann bin denn angekommen. Die Haushälterin hörte ihn nicht, sie sagte zur Mutter, hochnehmen, hochnähen, aufsäumen (aufräumen), Kragen umlegen, Rock zeigen, Hut tragen, Stadt fahren, oft vornehmen, nie dazu kommt; worauf die Mutter, zur Garderobenkammer zeigend, sagte, Straußenfeder, schönstes Weiß, einmal flott, tanzen, mit Musik; worauf die Haushälterin dem Sohn zurief, den Kasten aufziehn, die Spieldose, aufdrehn, Schlüssel drin, Musik hören. Der Sohn wandte sich zusammengesunken der Spieldose zu und drehte am Schlüssel der in seinem Gewinde schnarrte. Ich hörte wie sich die Feder knackend im Innern des Apparates spannte und ich hob schon die Hand, um ihm anzudeuten, daß er nicht weiterdrehen dürfe, wenn er nicht die Feder zum Platzen bringen wollte, doch es war zu spät, kaum hatte ich die Hand gehoben, ertönte ein berstender Laut, gefolgt von einem kurzen Klirren und Scheppern; der Sohn stand still, die Hand am Schlüssel. Die Haushälterin sprang auf und warf dabei den halbvollen Kaffeebecher der Mutter um, der Kaffee ergoß sich über den Tisch und strömte der Mutter, die nicht schnell genug zur Seite rücken konnte, in den Schoß; die Haushälterin drängte sich seitwärts am Vater, an Schnee und am Hauptmann vorbei, wobei sie an das Glas stieß das der Hauptmann vor sich hielt, und der Inhalt des Glases, allerdings nur ein paar Tropfen, rannen auf den Aufschlag seines Gehrocks; die Mutter, sich den Rock schüttelnd und sich am Tisch vorbeidrängend, blieb mit dem Fuß am Tischbein hängen, wobei sie einen Schuh verlor, dann stolperte sie dem Vater entgegen, der wohl noch Zeit fand, ihr die Hände entgegenzustrecken, um sie aufzufangen, nicht aber Zeit, den Kaffeebecher in der einen Hand und das Glas in der anderen Hand von sich zu stellen, was zur Folge hatte, daß sowohl der Kaffee als auch der Likör sowohl über das Kleid der Mutter als auch über die Hose des Vaters spritzten. Die Haushälterin, mit den Händen bereit, den Schlüssel in der Spieldose (der locker zwischen ihren Fingern nachgeben würde) zu packen, riß, vorüberfegend, mit der hinter ihr lang herabhängenden Schleife der Schürze das Bügeleisen vom Tisch, und das Bügeleisen fiel auf den, beim Vorüberlaufen der Haushälterin zurückgezogenen, doch gleich wieder vorgeschobenen Fuß des Herrn Schnee, was diesem in der Sekunde des Aufprallens des Bügeleisens einen lauten Schrei entlockte, worauf er sich tief über den getroffenen Fuß beugte und pfeifend auf den Schuh blies. Die Haushälterin erreichte nun den Schlüssel mit den Händen weit vor sich, und den Beinen noch im Sprung hinter sich; der Sohn, der den Schlüssel losgelassen hatte, war zurückgewichen; der Schlüssel drehte sich, wie ich erwartet hatte, lose und ohne Widerstand zu finden, im Gehäuse. Apparat zerstört, rief die Haushälterin, in die Stadt schicken, reparieren. Der Vater rief, jetzt gleich, noch heute abend, nimmst ihn, morgen früh in der Stadt bist, gleich morgen früh zum Schlosser gehst, sofort, auf die Beine, die ganze Nacht. Ich nahm die Spieldose und den herausgeglittenen Schlüssel, den die Haushälterin in der Hand hielt und reichte dem Sohn die Spieldose und den Schlüssel; der Sohn blickte mich, den Kopf tief gesenkt, von unten herauf an, wobei das bläuliche Weiß des Augapfels um die schwarze Iris schimmerte, dann ging er hastig, die Spieldose unter dem Arm und den Schlüssel in der Hand, durch das Zimmer, am Sofarücken, an den Tischen und an der Kommode vorbei, öffnete die Tür, trat hinaus, schloß die Tür hinter sich und entfernte sich durch den Flur und die Treppe hinab. Man hörte noch, wie die Küchentür ins Schloß fiel. Im Zimmer kam das Sprechen, nachdem es während des Abzugs des Sohnes verstummt war, wieder in Gang. Man sprach über die zerstörte Spieldose, über das Bügeleisen, über Herrn Schnees Fuß, über den ausgeschütteten Kaffee und Likör, über die Flecken auf den Kleidern, und nach einer Weile begannen die Gedankenlinien sich mehr und mehr von den eben stattgefundenen

Ereignissen zu verzweigen; aus den Worten der Haushälterin und der Mutter, die beide wieder, die Haushälterin vom Tisch auf dem die Spieldose gestanden hatte, und die Mutter, vom Schoß des Vaters, auf dem sie gesessen hatte, zurückgekehrt, auf dem Sofa Platz genommen hatten, war zu vernehmen, daß sie von Schürzen, Blusen, Röcken, Hauben, Bändern und Hüten sprachen, und aus den Worten des Herrn Schnee, der wieder zurückgelehnt in seinem Sessel saß, und den Worten des Hauptmanns, der den Flecken auf seiner Weste mit seinem Taschentuch abgetrocknet hatte, konnte ich unterscheiden, daß man von gebügelten Hosen, Schuhmodellen, geputzten und ungeputzten Schuhen, Kavalleriestiefeln, Reitpferden und einer Weinstube in der Garnisonstadt sprach; und aus den Bemerkungen die der Vater, dessen Gesicht sich während des Zwischenfalls mit der Spieldose bläulich rot gefärbt, und das nach dem Verschwinden des Sohnes wieder seine natürliche Farbe angenommen hatte, verlauten ließ, war zu verstehen, daß er von Prügelstrafen, Spießrutenlaufen, Erhängungen, Enthauptungen, Einkerkerungen, Ertränkungen, Verbrennungen und Verbannungen sprach. Das Gespräch ringsum lief weiter und schloß sich zu einem vielfältigen gemeinsamen Summen zusammen, während der Doktor, der kaum von dem Vorfall mit der Spieldose Notiz genommen, sondern unaufhörlich den Verband an seinem Kopf mit der einen Hand abgewickelt und mit der andern Hand zu einer Rolle zusammengewickelt hatte, das letzte, blutig verklebte Stück des Verbandes von seiner Stirn löste, und der Hausknecht, gurrend aus der Kehle summend, das Kartenspiel aus seiner Tasche hervorzog, die Karten mischte und sie zwischen sich und dem Schneider, der mit seinem Schemel näher an den Hausknecht herangerückt war, verteilte. Der Hausknecht, ein paar Karten vor sich auf den Fußboden werfend, sagte, ein Bube und ein Neuner, und der Schneider, eine Karte neben die niedergeworfenen Karten werfend, sagte, ein Dreier, und der Hausknecht, gleich darauf zwei neue Karten neben die auf dem Boden liegenden Karten werfend, rief, ein König und ein Zweier, worauf der Schneider zwei seiner Karten neben die ausgebreiteten Karten warf, indem er König und As rief. Der Doktor lehnte seinen Kopf ermattet an die Lehne des Sessels; auf seiner Stirn war eine breite, schwärende Wunde zutage getreten, die er vorsichtig mit dem kleinen Finger seiner linken Hand betupfte. Die Haushälterin und die Mutter erhoben sich, von Kleidersäumen, Perlmutterknöpfen, Korsettösen, Hutnadeln und Broschen sprechend, und gingen seitwärts, mit den Händen die Kleider niederdrückend, am ovalen Tisch, am Stuhl des Vaters, am Korbtisch mit der tönernen Vase und an dem anderen leeren schwarzen Stuhl vorbei, auf die Garderobentür zu, schoben die Garderobentür ganz auf und begaben sich, als erste die Haushälterin, in den mit Kleidern vollgehängten Raum, wobei die Mutter, die Schwelle überschreitend, die Tür hinter sich zuzog. Kaum war die Tür zugefallen, waren von drinnen dumpfe Rufe zu hören, von denen mir folgende Worte deutlich wurden, Schloß, nicht auf, drück doch, zieh doch, eingesperrt; worauf

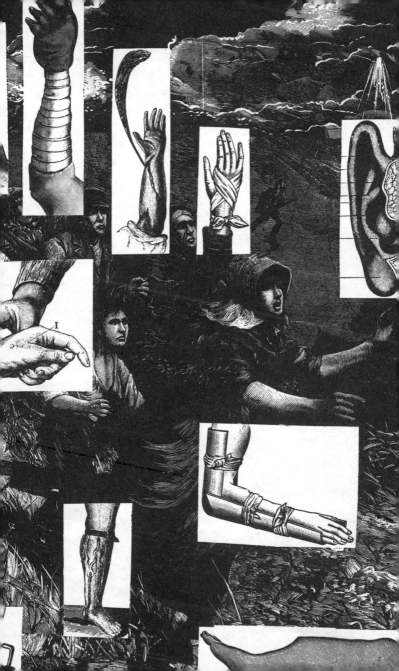

von innen gegen die Tür geschlagen wurde. Alle, außer dem Doktor, wandten sich zur Garderobentür um, blieben jedoch noch einige Augenblicke, während das Klopfen sich steigerte, sitzen, und sprangen dann, als erster der Vater, als zweiter der Hauptmann, als dritter Schnee, als vierter der Hausknecht, als letzter der Schneider (ich blieb am Fenster stehen), nachdem sie erfaßt hatten, was vor sich gegangen war, auf und eilten, so schnell sie sich zwischen den Stühlen, Tischen, Lampen, Kommoden und Gewächstöpfen fortbewegen konnten, zur Garderobentür. Wo ist denn der Schlüssel, rief der Vater zur Tür, auf die der Hauptmann im gleichen Augenblick mit der Faust schlug; der Schlüssel wo ist er, rief er noch einmal, doch durch das Klopfen des Hauptmanns war die Antwort von innen nicht zu hören. Der Vater hielt die Hand des Hauptmanns fest und rief noch einmal, wo denn Schlüssel, und von drinnen erklang es dumpf, kein Schlüssel da. Kein Schlüssel da, fragte der Hauptmann von draußen zurück, und während unverständliche Worte drinnen gerufen wurden, wiederholte der Vater, kein Schlüssel. Wo denn Schlüssel, rief der Hausknecht, und Schnee sagte zum Hausknecht, kein Schlüssel da, Schlüssel weg, während die Stimme der Haushälterin hinter der Tür etwas Unverständliches schrie. Ist Schlüssel weg, rief der Vater zur Tür, und von drinnen war undeutlich zu vernehmen, Schlüssel weg, aufdrücken, ersticken; und der Vater rief, Tür aufdrücken sonst ersticken, und warf sich schon mit Gewalt gegen die Tür, die jedoch seinem Anlauf nicht nachgab. Dann warf sich der Hauptmann gegen die

Tür, die auch ihm standhielt, und auch dem Hausknecht und Herrn Schnee, die gemeinsam gegen die Tür anrannten, widerstand sie. Axt holen, sagte der Vater, und der Hausknecht rief gegen die Tür, hole Axt, wartet, nur in den Schuppen, Axt holen; daraufhin wandte er sich um, lief am Korbtisch mit der Vase und am ovalen Tisch mit der Vase vorbei, stieg über das Sofa und lief zur Tür, öffnete die Tür, ließ sie hinter sich offen stehen, lief den Flur entlang, die Treppe hinab, durch die Diele, durch die Küche, riß die Küchentür auf, lief, die Küchentür hinter sich offen stehen lassend, hinaus, die Stufen hinab und über den Hof zum Schuppen; ich sah ihn draußen durch den Lichtschein der vom Fenster aus herabfiel, eilen. Drinnen in der Garderobe schlugen die Haushälterin und die Mutter schreiend an die Tür, und draußen schrieen der Vater, der Hauptmann, Herr Schnee und der Schneider gegen die Tür, kommt gleich, Ruhe, nur Axt (Angst), gleich zurück, Tür aufschlagen, gleich da, gleich aufschlagen. Dann kam der Hausknecht, von der Richtung des Schuppens her, aus der Dunkelheit in den Lichtschein des Fensters gerannt, sprang die Stufen zur Küchentür hinauf, über die Schwelle der Küchentür, zog die Küchentür hinter sich zu, lief durch die Küche, die Diele, die Treppe hinauf, den Flur entlang und in das Zimmer hinein, die Tür hinter sich zuschlagend. Er setzte über das Sofa hinweg, eine Hand auf die Lehne gestützt, die Axt hoch in der anderen Hand schwingend. Der Vater streckte die Hand nach der Axt aus und der Hausknecht drückte ihm die Axt entgegen, dann hob der

Vater, indem alle anderen die um die Tür standen, zurückwichen, die Axt, rief, jetzt schlage ich, und hieb die Axt in das Türschloß. Der Schlag drang tief in das Holz ein. Der Hausknecht half dem Vater, der eine Weile mit Mühe am Schaft gerüttelt hatte, die Axt aus dem Holz zu reißen, dann hieb der Vater die Axt noch einmal in die Tür, rüttelte wieder, mit Hilfe des Hausknechts, an der tief ins Holz getriebenen Axt, doch diesmal ließ sie sich nicht herausreißen sondern brach, am Ansatz des Schaftes, ab. Drinnen in der Garderobe schlugen die Haushälterin und die Mutter, die während der Axthiebe verstummt waren, wieder gegen die Tür, und gleichzeitig schrieen sie Worte von denen ich heiß und Luft verstand. Herr Schnee hob die Hand und rief, Brecheisen, worauf er zwischen den Stühlen und Tischen hindurch, am Sofa und an der Kommode vorbei, zur Tür lief, die Tür öffnete, die Türschwelle, die Tür hinter sich offen stehen lassend, übersprang, und sich auf dem Flur, der Treppe, der Diele, durch die Küche, die Küchentür, die er hinter sich offen ließ, und die Küchentreppe hinab entfernte, im Lichtschein unter dem Fenster auftauchte und wieder im Dunkeln verschwand. Holt nur das Bügeleisen, rief der Vater zur Tür, und der Hauptmann rief, Brecheisen; holt nur Brecheisen, rief der Vater, gleich zurück, gleich Tür aufbrechen, Axt abgebrochen, mit Bügel mit Brecheisen Tür aufbrechen; und drinnen hinter der Tür rief die Haushälterin, Hitz, erstick. Schnee erschien mit dem Brecheisen im Licht, lief durch die Helligkeit, die Küchentreppe hinauf, durch die Küchentür, die er offen hinter sich ließ,

durch die Küche, die Diele, die Treppe hinauf, den
Flur entlang, und erschien, das Brecheisen in der hoch-
erhobenen Hand, auf der Türschwelle, die er, die Tür
hinter sich zuwerfend, übersprang, um, an den Möbelstücken vorbei, im Bogen durch das Zimmer auf
die Garderobentür zuzulaufen. Der Hausknecht nahm
ihm das Brecheisen ab und stieß es, zusammen mit
dem Vater und dem Hauptmann, in den Türspalt,
und so drückten und zerrten sie am Brecheisen, bis das
Türholz krachte und splitterte. Nachdem man mehrmals das Brecheisen in das aufberstende Holz um das
Schloß gerammt, und es, mit vereinten Kräften, wieder herausgezogen und in den Türspalt getrieben
hatte, begann die Tür, sich zu lockern; das Holz, an-
scheinend von innen dem Druck der gegen die Tür
andrängenden Körper der Haushälterin und der Mutter ausgesetzt, bog sich, und schließlich klaffte die Tür
auf, doch nicht zur Seite weichend sondern, da sie
aus den Angeln geglitten sein mußte, von oben nach
unten stürzend, wobei sie den Kopf des Vaters traf.
Dieser taumelte zurück und gleichzeitig taumelten die
Haushälterin und die Mutter aus der Garderobe heraus, über die Tür hinweg, in das Zimmer hinein. In
einem Wirrwarr von gleichzeitigen Bewegungen beugte sich der Hausknecht über die Tür und Schnee über
das Brecheisen, rieb sich der Vater den Kopf, schoben
sich die Haushälterin und die Mutter dem Sofa zu,
hob der Hausknecht die Tür auf und Schnee das
Brecheisen, ließen sich die Haushälterin und die Mutter auf dem Sofa nieder, sammelte der Schneider die
Holzsplitter vom Boden auf, legte sich der Vater ein

Kissen auf den Kopf, lehnte der Hausknecht die Tür an den Türpfosten zur Garderobe, stellte Schnee das Brecheisen in die Wandecke rechts neben der Garderobentür, füllte der Hauptmann sein Glas, hob die Haushälterin den Kaffeebecher des Hauptmanns und die Mutter den Kaffeebecher der Haushälterin, schwankte der Vater, das Kissen auf dem Kopf, an den Sesseln vorbei, trank der Hauptmann das gefüllte Glas aus, schlürften die Haushälterin und die Mutter den Rest aus den Bechern, erhob sich der Doktor, der auch während des Vorfalls mit der Garderobentür unbeteiligt in seinem Stuhl, den Kopf an die Lehne gelehnt, gesessen hatte, schob sich der Vater an dem großen schwertblättrigen Gewächs und an mir vorbei, hob der Schneider den gesammelten Haufen von Splittern auf, ging der Doktor, in der einen Hand den zusammengerollten Verband, mit der anderen Hand sich auf die Stuhllehnen, die Lehne des Sofas und auf die Kommode stützend, durch das Zimmer, öffnete der Vater das Fenster und beugte sich, indem er sich mit der einen Hand an der Gardine festhielt, aus dem Fenster, lehnten sich die Haushälterin und die Mutter im Sofa zurück, nahm Schnee auf seinem Sessel Platz, öffnete der Doktor die Tür, begab sich der Hausknecht zu den auf dem Fußboden liegenden Spielkarten, ging der Schneider, die Holzsplitter im Arm, zwischen den Möbelstücken hindurch durch das Zimmer, verließ der Doktor, die Tür hinter sich zuziehend, das Zimmer, richtete sich der Vater, mit der Hand am Vorhang ziehend, auf, wippte der Hauptmann, die Hände hinter sich unter den Schößen des

Gehrocks, auf den Zehen, stürzte die Gardine, wahrscheinlich früher von der daran zerrenden Hand des Sohnes gelockert, samt Stange und hölzernem Überbau herab, den Kopf des Vaters treffend, und die Kübel mit den Gewächsen zu Boden reißend, befreite sich der Vater aus dem über ihm liegenden Tuch der Gardine, sprang die Haushälterin, gefolgt von der Mutter, vom Sofa auf, ließ der Schneider, an der Tür stehend, das aufgesammelte Holz fallen, richtete sich der Hausknecht von den Spielkarten auf und blickte zum Fenster, sprang der Hauptmann, Stühle und Sessel zur Seite stoßend, an Schnee vorbei auf den Vater zu, erhob sich Herr Schnee aus dem Sessel, ergriff die Mutter, sich am Tisch und an Schnee vorbeidrängend, den Vater am Arm, näherte sich der Hausknecht den umgeworfenen Blumenkübeln, schloß ich, den Arm in den kalten von außen hereinströmenden Windzug steckend, das Fenster, führte die Mutter, den Arm um den Vater gelegt, den Vater zwischen den Möbeln hindurch auf die Tür zu, bückte sich der Schneider über das fallengelassene Holz, sank Schnee in seinen Sessel zurück, hob der Hausknecht kehlig summend, die Blumenkübel auf, hoben der Hauptmann und ich das Brett mit der daran befestigten Gardinenstange und der Gardine auf, stellten die Haushälterin und der Hausknecht die Kübel auf den Blumentisch zurück, öffnete die Mutter die Tür, sammelte der Schneider das Holz auf, trat die Mutter mit dem Vater über die Türschwelle, rollten der Hauptmann und ich die Gardine zusammen, ging die Haushälterin seitwärts zwischen den Sesseln, wobei sie Schnees Kopf streifte,

86

hindurch, und an der mit Fotografieen gefüllten Kommode vorbei auf die Garderobe zu, stellten der Hauptmann und ich die Gardine mit der Stange und dem Überbau in die Ecke neben der Kommode, holte die Haushälterin einen Besen aus der Garderobe, schloß die Mutter hinter sich und dem Vater die Tür, kehrte der Hauptmann zu seinem Sessel zurück, richtete sich der Schneider mit den aufgesammelten Holzstücken auf, füllte Herr Schnee sein Glas, öffnete der Schneider die Tür, ging die Haushälterin mit dem Besen zum Fenster, schenkte sich der Hauptmann aus der Flasche ein, überschritt der Schneider die Türschwelle, fegte die Haushälterin den aus den Blumenkübeln gefallenen Sand zusammen, schloß der Schneider die Tür hinter sich, ging der Hausknecht zu den Spielkarten zurück, hob der Hauptmann das Glas an den Mund, ging ich an den Tischen, den Stühlen, dem Sofarücken, der Kommode vorbei auf die Tür zu, sammelte der Hausknecht die Karten vom Boden auf, öffnete ich die Tür, schlug die Kante des Besens der Haushälterin an die Wand und an die Beine des Blumentisches, überschritt ich die Türschwelle und schloß die Tür hinter mir.

Den auf diese Nacht folgenden Tag verbrachte ich, bis zum Einsetzen der Dämmerung, mit der Beschreibung des eben zuende beschriebenen Abends. Am Tisch in meinem Zimmer sitzend, blicke ich durch die schräge Fensterluke und sehe, hinter der abfallenden Dachkante, ein Stück des lehmigen Hofbodens, begrenzt vom Holzhaufen, vom Holzschuppen, vom Steinhaufen und der Scheune. In den feucht-violetten Ackerfurchen stampft der Hausknecht hinter dem vom Pferd gezogenen Pflug her, und über der aufgebrochenen Erde flattert eine Krähe, in der ich, ihres einmalig ausgestoßenen Rufes wegen, den ich, wie mir jetzt bewußt wird, schon früher heute während des Schreibens vernommen hatte, die gleiche Krähe vermute die ich vor zwei Tagen, als ich mit dem Schreiben begann, Harm über den Feldern schreien hörte. Der Himmel über den Waldungen hinter den Äckern hinter dem pflügenden Hausknecht ist von brennend blutigem Rot; der Schatten des Hausknechts, des Pfluges und des Pferdes zieht sich langgestreckt und wellenförmig, umflattert vom Schatten der Krähe, über die Ackerfurchen; der Schatten des Hauses legt sich blauschwarz bis über den Holzstoß, den Schuppen und den Steinhaufen, daneben zieht sich lang und schmal der Schatten des Abtritts hin, und der Schatten der Scheune ergießt sich, mit einem noch darüber hinausragenden Schatten einer menschlichen Gestalt, riesenhaft über die Felder. Der schattenwerfende Mensch auf dem Dach der Scheune ist der Vater, der, die Füße fest um den First des Daches gestemmt, mit dem Fernrohr in die Richtung des Feldweges späht, ungeachtet des mehrmals wiederholten und von der Wand der Scheune zurückhallenden Rufes der, aller Wahrscheinlichkeit nach sich aus dem Fenster des Zimmers der Familie lehnenden Mutter, noch viel viel zu früh früh, lange noch lange noch nicht zurück zurück. Das Ablaufen der Zeit nehme ich an der Verfärbung des Himmels, vom brennenden Rot

Mama!
Mama!

zum rostigen Braun, und an den weiter über die Ackererde hinauswachsenden und in den Konturen undeutlich werdenden Schatten wahr. Dann fließen innerhalb weniger Sekunden (da die Sonne im gegenüberliegenden Horizont versinkt) die Schatten tintig in der Erde aus; der Hausknecht stapft bis zu den Knieen in der Dunkelheit, nur sein Gesicht leuchtet noch rötlich, und an der Wand der Scheune, deren Dach den Rest des Sonnenlichts noch widerstrahlt, steigt die Dunkelheit empor; dann löscht auch das Gesicht des Hausknechts aus, und dann das Dach der Scheune, und am längsten hält sich das Gesicht des Vaters und die reflektierende Schraube des Fernrohrs im Sonnenlicht, bis auch das Gesicht des Vaters und das Fernrohr in der Farbe ermatten und alles in einen einzigen dumpfen Schatten, den Schatten der Erde, gehüllt ist. Jetzt streckt der Vater den Arm aus und wendet sich, mit der Hand in die Richtung des Feldweges zeigend, zum Haus um und ruft, wahrscheinlich zur Mutter, die er wohl im Fenster wahrnimmt, er kommt, der Wagen, der Wagen kommt. Ich schiebe die Fensterluke auf und beuge mich hinaus und sehe weit hinten auf dem Feldweg etwas Dunkles langsam näherrücken und allmählich die Form eines mit einem Pferd bespannten Wagens annehmen.

Wie stets bei der Annäherung des Wagens, von fern durch das Hornsignal des Kutschers angekündigt, begaben sich die Gäste, außer dem Doktor, der an der Schwelle der Küchentür stehen blieb, vor das Haus und sammelten sich am Wegrand, um dort, zusammen mit der Haushälterin und dem Hausknecht, die beide, wie auch sonst immer beim Erscheinen des Wagens, ihre Arbeit, gleich welcher Art, verlassen und sich mitten auf den Weg begeben hatten, den Wagen zu erwarten. In der dichter werdenden Dunkelheit schob sich das Pferd, nicht galoppierend, und nicht im Trab, sondern gemächlich trottend, und dahinter der schwankende Wagen mit der Silhouette des Kutschers hoch oben auf dem Bock, zu uns heran, und die Geschwindigkeit oder Langsamkeit der Fahrt stand im genauen Verhältnis zur Verdichtung der Dunkelheit, so daß der Wagen, wäre er stehen geblieben, von der Dunkelheit verschluckt worden wäre, doch da er sich fortbewegte, stets den Grad der verstärkten Dunkelheit mit dem Grad der Annäherung aufwog, aber auch, eben durch die sich verstärkende Dunkelheit, stets die gleiche Undeutlichkeit behielt, so daß er, als er endlich dicht vor uns war, nur an Größe gewonnen hatte und sonst, ebenso nebelhaft schwelend wie die ganze Zeit vorher, in der tiefen Dämmerung ruhte. Der Augenblick in dem der Fuhrmann die Zügel straffte und mit trommelndem Zungenlaut das Pferd zum Halten mahnte liegt drei Tage und drei Nächte zurück, drei Tage und drei Nächte in denen ich, einer umfassenden Gleichgültigkeit wegen nicht vermochte, meine Aufzeichnungen weiter zu führen, und auch jetzt kann ich nur mit Mühe, bereit, sie jeden Augenblick abzubrechen und für immer aufzugeben, die Beschreibung der Ankunft des Wagens, und des darauf Folgenden, fortsetzen. Nach dem drei Tage und drei Nächte zurückliegenden Anhalten des

Pferdes begab sich der Kutscher vom Bock herab, drückte der Haushälterin zur Begrüßung die Hand, winkte dem Hausknecht zur Begrüßung mit der Hand zu, und nickte uns übrigen, außer dem Doktor, den er nicht an der Haustür gewahrte, zur Begrüßung zu. Er war in einen weiten, ledernen Mantel gekleidet und auf dem Kopf trug er einen breitrandigen Filzhut, in dessen Band ein paar scheckige Rebhuhnfedern steckten. Seine Beine, in blanken Stiefeln aus braunem Leder, wiegten sich beim Gehen in den Kniekehlen. Das Horn hatte er an einem Riemen über die Schulter hängen. Der Vater und die Mutter öffneten die Tür zur Kutsche, beugten sich tief in die Kutsche hinein, wandten sich wieder ab und gingen kopfschüttelnd in das Haus zurück. Auch der Hausknecht blickte in die Kutsche; er streckte die Arme tief hinein und zog einen Sack hervor der, der äußeren Form nach, mit Kohlen gefüllt war; er hätte auch mit Kartoffeln gefüllt sein können, doch diese Möglichkeit kam kaum in Betracht, da ein eigener Kartoffelacker zur Hauswirtschaft gehörte und aus diesem Grund keine Bestellungen von Kartoffeln aus der Stadt nötig waren. In die Kniebeuge gehend, drückte der Hausknecht seinen Rücken gegen den Sack, hob seine Hände über die Schultern, senkte sie hinter die Schultern herab, packte den Sack, straffte die Beine, beugte sich, den Sack auf dem Rücken festhaltend, vor und ging auf die Küchentreppe zu, an der Küchentreppe vorbei und auf die Kellertreppe zu, die Kellertreppe hinab zur Kellertür die er mit dem Fuß aufstieß. Auch der Kutscher griff in das Innere des Wagens und zog einen Sack heraus, drehte seinen Rücken dem Sack zu, beugte die Kniee ein, zog den Sack mit hochgeschwungenen Armen auf den Rücken, straffte die lederknirschenden Beine und trug, vorgelehnt, den Sack, dem Hausknecht nach, in den Keller. Der Hausknecht hatte das Licht im Keller angezündet und breit und schwarz begab sich der Kutscher in den Lichtschacht des Kellerganges. Das Geräusch das beim Entladen des Sackes in der Tiefe des Kellers entstand gab meiner Vermutung, daß der Sack Kohlen enthalte, recht. Auch beim Entladen des Sackes des Kutschers entstand das selbe Geräusch, außerdem konnte ich mich, da ich dem Kutscher folgte, mit meinen Augen davon überzeugen, daß es Kohlen waren die staubend aus den Säcken in den Holzverschlag neben der Heizung stürzten. Der Hausknecht wandte sich, den leeren Sack zusammenfaltend, der Kellertür zu, ging auf die Kellertür zu und zur Tür hinaus, die Treppe empor und über den Hof, an der Küchentreppe vorbei, und der Kutscher, auch er den Sack zusammenlegend, folgte dem Hausknecht; von draußen waren Stimmen und Schritte zu hören die andeuteten, daß sich die Haushälterin und die Gäste in das Haus zurückbegaben. Der Hausknecht tauchte wieder auf, mit einem gefüllten Sack auf dem Rücken, einem Sack den er über dem Holzverschlag entlud, den er leer und zusammengefaltet zurücktrug, wobei ihm der Kutscher, auch wieder einen neuen Sack auf dem Rücken tragend, begegnete, einen neuen, gefüllten Sack, den er, ebenso wie der Hausknecht, entleerte, zusammenfaltete und zurücktrug, wobei er dem Hausknecht, der wieder einen gefüllten Sack auf dem Rücken trug, begegnete, einen gefüllten Sack der entleert, zusammengefaltet und davongetragen wurde, wobei der Kutscher wieder auftauchte, einen Sack auf dem Rükken, einen Sack dessen Inhalt sich auf den Kohlehaufen im Verschlag ergoß, der zusammengefaltet und wieder davongetragen wurde, ebenso wie der Sack des Hausknechts mit dem dieser nun wieder auftauchte, und wie der nächste Sack des Kutschers und der nächste Sack des Hausknechts und alle folgenden Säcke über die ich die Rechnung verlor. Was ich, angesichts der großen Zahl der Säcke und des Umfangs des entstandenen Kohlehaufens, nicht begriff, war, wie alle die mit Kohlen angefüllten Säcke in der allem Anscheine nach nicht einmal vollbeladenen Kutsche Platz gefunden hatten, und dies wurde mir, nachdem ich einige Male zwischen der Kutsche und dem Kohlehaufen im Keller hin und hergegangen war, um die Raummenge zu vergleichen, nur noch unverständlicher. Hatten denn auch noch auf dem Dach der Kutsche die Säcke aufgetürmt gelegen; der Kutscher, den ich danach fragte, verneinte es; und was sollte er für einen Grund haben, mich anzulügen; auch wäre es mir sicher bei der Ankunft des Wagens aufgefallen, und, mit einer Last von Säcken hinter sich, hätte sich die Silhouette des Kutschers nicht mit der gleichen Deutlichkeit über dem Wagen abzeichnen können wie sie es bei der Annäherung des Wagens getan hatte. Bei der Mahlzeit die der Kutscher auf dem freien Platz zu meiner Linken einnahm, fragte ich ihn noch einmal, finden Sie nicht, Kutscher, daß der im Keller entstandene Haufen von Kohlen um ein Vielfaches größer ist als der Innenraum der Kutsche, und wie erklären Sie sich das; worauf er, ohne von seinem hoch mit Kartoffeln und Bohnen beladenen Löffel aufzublicken, antwortete, nur eine Täuschung. Unbefriedigt von seiner Antwort wandte ich mich an den Hausknecht und fragte ihn, ist Ihnen, Hausknecht, nicht auch aufgefallen, daß die Kohlenmenge im Keller eine größere ist als sie im Innern des Wagens hätte Platz finden können; was dieser, Kartoffeln und Bohnen im Munde zerkauend, folgendermaßen beantwortete, in Säcken dichter, im Haufen loser, kein Wunder. Doch auch dies genügte mir, selbst wenn sowohl die Worte des Kutschers wie auch die Worte des Hausknechts einiges enthielten das der Wahrheit entsprechen mochte, nicht als Erklärung; und auch heute, drei Tage und drei Nächte später, habe ich noch keine Erklärung gefunden für den unverhältnismäßig großen Unterschied zwischen der Raumgröße die die Kohlen im Wagen zur Verfügung hatten und der Raumgröße in der sie sich im Keller ausbreiteten. Schwer gegen die Müdigkeit und gegen den Wunsch, den Bleistift niederzulegen und diese Aufzeichnungen aufzugeben, ankämpfend, denke ich an den vor drei Tagen und drei Nächten liegenden Abend zurück, und setze mit der Beschreibung dieses Zurückdenkens fort, und die vierte Nacht beginnt schon, nachdem die Abendmahlzeit abgeschlossen ist und ich mich von den in der Diele versammelten Gästen zurückgezogen habe, sich anzubahnen, die vierte Nacht nach dem Abend an dem der Kutscher, nachdem wir uns von der

Geselligkeit in der Diele in unsere Zimmer begeben hatten, der Haushälterin, die die Kaffeebecher in die Küche trug und ins Abwaschbecken stellte, in die Küche folgte und dort mit ihr, was ich, mich aus dem Fenster lehnend und die Nachtluft einsaugend, an den durch das Küchenfenster auf den Hof fallenden Schatten sah, blieb. Die Schatten wurden, wie ich berechnete, von der Lichtquelle der in der Mitte der Küche befindlichen herabziehbaren Lampe geworfen, und in Anbetracht der Lage der Schatten mußte die Lampe, wahrscheinlich zur Erhellung des Fußbodens, den die Haushälterin zu putzen gedachte, ungefähr bis zur Brusthöhe herabgezogen worden sein; so sah ich deutlich über dem Schatten des Fensterbrettes den Schatten der Kaffeekanne hervorragen, und seitwärts, etwa vom Platz aus an dem die Haushälterin bei den Mahlzeiten zu sitzen pflegt, beugte sich der Schatten der Haushälterin mit vorgestrecktem Arm über den Tisch und ergriff den Schatten der Kaffeekanne. Nun legte sich der Schatten des Kutschers, niedrig aus der Tiefe der Küche hervortretend, und über den Schatten der Tischkante, der in gleicher Höhe mit dem Schatten des Fensterbrettes lag, hinauswachsend, neben den Schatten der Haushälterin; der Schatten seiner Arme streckte sich in den Schatten des Arms der Haushälterin hinein, auch der Schatten des anderen Arms der Haushälterin schob sich in den zu einem Klumpen anschwellenden Schatten der Arme, worauf sich die Schattenmasse des Körpers der Haushälterin der Schattenmasse des Körpers des Kutschers näherte und mit ihr zusammenschmolz. Aus dem unförmig zusammengeballten, dichten Gefüge der Körperschatten ragte nur der Schatten der hochgehobenen Hand der Haushälterin, in der sie die Kaffeekanne trug, hervor. Der Schatten der Kaffeekanne schaukelte hin und her, auch der Schatten der Körper schwankte hin und her, und zuweilen zeichneten sich die Schatten der Köpfe, dicht im Profil ineinander verklebt, über dem Klumpen der Leiber ab. Der Schatten der Kaffeekanne löste sich, nach einer heftigen Seitwärtsbewegung der Körper, vom Schatten der Hand, und fiel herab; einige Sekunden lang lösten sich die Schatten der Körper voneinander, der Körper der Haushälterin zeigte sich mit der vorgewölbten Linie der Brüste, zurückgeneigt über den Tisch, und der Schatten des Kutschers öffnete sich, hoch aufgerichtet, fuchtelnd und wie mit Flügeln schlagend, die Masse des Schattens des Mantels von sich abwerfend. Nachdem der Mantelschatten über den Körperschatten des Kutschers hinabgeflattert war warf sich der Körperschatten des Kutschers wieder nach vorn, und der Schatten des Körpers der Haushälterin stieß sich ihm entgegen, dabei griffen die Schatten der Arme der Haushälterin in den Schatten des Körpers des Kutschers hinein, über ihn hinaus, um ihn herum, und die Schatten der Arme des Kutschers bohrten sich in den Schatten des Körpers der Haushälterin hinein und um ihn herum. Mit zerrenden, ruckhaften Bewegungen drehten und wandten sich die Schatten der Leiber weiter der Mitte des Schattens der Fensterkante und Tischkante zu; die Schatten der Beine der rückwärts über dem Tisch liegenden Haushälterin ragten mit gebeugten Knieen über den vorkriechenden Schatten des Kutschers auf, und der Schatten des auf den Knieen liegenden Kutschers hob sich über den Schatten des Bauches der Haushälterin. Die Schatten der Hände des Kutschers drängten sich in den Schatten des Rockes der Haushälterin ein, der Schatten des Rockes glitt zurück und der Schatten des Unterleibes des Kutschers wühlte sich in den Schatten der entblößten Schenkel der Haushälterin ein. Der Schatten des einen Armes des Kutschers war in den Schatten seines Unterleibes hineingebogen und zog daraus einen stangenartigen Schatten hervor, der, der Form und Lage nach, seinem Geschlechtswerkzeug entsprach; diesen aufragenden Schatten stieß er, nachdem die Schatten der Beine der Haushälterin sich hoch über den Schatten der Schultern des Kutschers gelegt hatten, in den schweren, prallen Schatten des Unterleibes der Haushälterin hinein. Der Schatten des Unterleibes des Kutschers hob und senkte sich, in immer schneller werdendem Rhythmus, über den mittanzenden Schatten des Körpers der Haushälterin, während die Schatten der Köpfe des Kutschers und der Haushälterin in den Profillinien ineinander verbissen waren. Schließlich bog sich der Schatten des Körpers der Haushälterin hoch auf, und der Schatten des Leibes des Kutschers warf sich mit gesammelter Gewalt in den Schatten des Leibes der Haushälterin hinein, worauf die Schatten der beiden Leiber, ineinander vergehend, niederbrachen und ausgestreckt auf dem Schatten des Tisches liegen blieben, von tiefen Atemzügen gehoben und gesenkt. Nach einer Weile richtete sich der

Schatten des Kutschers vom Schatten der Haushälterin auf, und auch der Schatten der Haushälterin richtete sich auf, und an den weiteren Bewegungen der Schatten sah ich, daß sowohl der Kutscher wie auch die Haushälterin den Tisch verließen und sich in die Tiefe der Küche hineinbegaben, wo mir ihr Vorhaben verborgen blieb. Kurze Zeit nachdem sie vom Tisch aufgestanden waren hörte ich wie die Küchentür geöffnet wurde, und dann sah ich den Kutscher und die Haushälterin die Küchentreppe hinab und über den Hof auf den Wagen zu gehen. Der Wagen war in der Dunkelheit nicht zu erkennen, nur den Geräuschen nach konnte ich darauf schließen, daß der Kutscher den Wagen und das Pferd zur Rückfahrt rüstete, und bald begannen auch die Deichsel, das Zaumzeug und die Räder zu knarren, und die Schritte des Pferdes stampften auf dem Weg und entfernten sich immer mehr, wie auch das Knarren und Quietschen und Klappern des Wagens, bis es ganz in der nächtlichen Stille verging. Auch dieses, daß das Pferd, nach dem langen Weg den es den größten Teil des Tages mit der Last von Kohlen zurückgelegt hatte, noch in der auf diesen Tag folgenden Nacht den gleichen Weg noch einmal bewältigen sollte, gab mir zu denken, so daß ich in dieser, drei Tage und bald vier Nächte hinter mir liegenden Nacht, nicht zum Schlafen kam

*Von Peter Weiss*
*erschienen im Suhrkamp Verlag*

*Abschied von den Eltern.* Erzählung, 1961
*Die Ermittlung.* Oratorium in 11 Gesängen, 1965
*Dramen in zwei Bänden,* 1968
*Fluchtpunkt.* Roman, 1962
*Notizen zum kulturellen Leben der Demokratischen Republik
Viet Nam,* 1968
*Viet Nam-Diskurs,* 1968

Bibliothek Suhrkamp

*Trotzki im Exil,* 1970 Bibliothek Suhrkamp 255
*Hölderlin.* Stück in zwei Akten, 1971 Bibliothek Suhrkamp 297

edition suhrkamp

*Abschied von den Eltern.* Erzählung, 1964 edition suhrkamp
85
*Das Gespräch der drei Gehenden,* 1963 edition suhrkamp 7
*Der Schatten des Körpers des Kutschers,* 1964 edition suhr-
kamp 53
*Fluchtpunkt.* Roman, 1965 edition suhrkamp 125
*Marat/Sade,* 1964 edition suhrkamp 68
*Nacht mit Gästen. Mockinpott,* 1969 edition suhrkamp 345
*Rapporte,* 1968 edition suhrkamp 276
*Rapporte 2,* 1971 edition suhrkamp 444

suhrkamp taschenbücher

*Das Duell,* 1972 suhrkamp taschenbuch 41